地域マネジメント

地方創生の理論と実際

[改訂版]

吉田雅彦 著

鉱脈社

は じ め に

　地方創生、地域振興、地域活性化などは、日本だけでなく、世界各国で重要な課題となっている。"地元を良くしようとする試み、努力"が必要であることは多くの人に共感されるであろうが、実際に取り組むときに、どう考えてどう実行していけばよいのであろうか。具体的な行動が、その場限りの思いつきでなく、過去の失敗や、他の地域の失敗を繰り返すものでないようにするにはどうしたらよいのであろうか。

　現在の地方創生の動きのルーツが、1970年代後半から80年代にかけての「地方の時代」(長洲一二 神奈川県知事(当時))や「一村一品運動」(平松守彦 大分県知事(当時))までさかのぼるとすれば、本書を執筆している2021年まで、40年以上ものあいだ、日本各地で地域振興、地域活性化を行ってきたことになる。その成果はどうだったのであろうか。

　このような問題意識に対して、本書は、経営学の枠組みで、地域振興、地域活性化を考えて、具体的に行動するための「入門書」を提供することを目指している。地元で現場に携わっている実践の人たちや、地元の将来を担おうと志す若者や学生を読者に想定している。

　経営学のうち、会計学と、業界の取引関係を研究する分野以外の狭義の経営学をマネジメントといい、マネジメントとは、人を通じて仕事をうまく成し遂げることである[1]とされる。マネジメントの中には、経営学の経営戦略、マーケティング、人・組織、オペレーションなどの研究分野が含まれる。マネジメントは、日本語には、経営や管理と翻訳されるが、本書が考えるマネジメントは、経営戦略やマーケティングが重要な要素なので、管理という訳語はふさわしくない。行政経営という用語があり、一部の自治体で取組みがなされていて、その考え方と重なる。

　著者は、大学で経済学を学んだ後、1984-2015年の31年半、通商産業省・経

済産業省に在職する中で、岩手県庁への出向、関東経済産業局勤務を経験し、地域経済産業政策、製造業対策、中小企業政策に関わり、行政実務から地域振興、地域活性化に参加してきた。2015年以降は、宮崎大学地域資源創成学部で、地域振興、観光振興の研究・教育に、経済学、経営学からアプローチしてきた。

　本書が提起する"地域マネジメント"は、経営学・マネジメントの知見を、地元の活性化、持続可能性のための考え方や行動に結びつけようという考え方である。

　経営学は、経営・マネジメントに関する人類の知恵の蓄積であるので、実務とのフィードバックを重ねれば、浅い思いつきや失敗の繰り返しを避ける力になり、有意義な行動、実りある成果に結びつけられる可能性が大いにある。

　本書の構成は、**第1章**で、地域マネジメント、地域の範囲の考え方、地域資源といった基本的な用語や概念を定義づけたり、整理したりしている。**第2章**では、地域マネジメントが実際に行われた事例を挙げ、そこに含まれる経営学、経済学の理論的要素を抽出して、事例の意義を解説している。改訂版では、第5節　地方行政組織の役割と課題について、（公財）日本都市センターの2021年度調査に参加して得た知見を元に、全面的に書き直している。**第3章**では、地域マネジメントの重要な一部である観光を採り上げ、観光による地域活性化も、経営学・マネジメントの枠組みで考えて、実行できることを提言している。**第4章**では、COVID-19（新型コロナウイルス感染症）の地域への経済的影響を考えた。改訂版では、2021年12月公表の OECD Economic Outlook の内容も追記した。**第5章**では、地域マネジメントを考える際に必要な経営学、経済学の理論の基礎を解説している。

　本書は入門書という性格に徹しており、地域を経営することや経営学、経済学をさらに深く学びたい読者には、推薦図書、参考文献を示した。

　本書が、現場で"地元を良くしようとする試み、努力"に心を砕いている人たちに役立ち、地域の発展や持続可能性に貢献できることを願っている。

1）加護野、吉村（2012）p.38-40

目　次

地域マネジメント

地方創生の理論と実際

第 1 章
地域マネジメントとは

第 **1** 節 プロローグ
── 海士町と上士幌町の事例 ──

（1）海士町

　島根県の隠岐諸島の海士町は、「平成の大合併」といわれる時期に、離島で
あるが独立で存続する道を選択した。その後、厳しい財政状況から出発して、
山内道雄 前町長（2002年から2018年まで4期16年）を中心に、**表1-1**のように独
創的な地域マネジメントを実行したことで知られている。2018年からは、役場
で前町長の右腕の一人として支えてきた大江和彦氏が町長となっている。

[表1-1] 海士町の地域マネジメントの取組み

1994年〜	第三セクター　マリンポートホテル海士を開業。
1999年〜	さざえカレー発売。
2002年〜	菱浦港のターミナル「承久海道キンニャモニャセンター」を開設。
2004年〜	町の財政再建のため、役職員の給与一部返上。 町の産業振興を担う交流促進課、地産地商課、産業創出課を創設。 有限会社隠岐潮風ファーム設立。子牛の繁殖・売却から肥育、成牛の出荷へと付加価値を上げるため。移住者を雇用。 すこやか子育て支援条例。
2005年〜	CAS冷凍事業開始。漁業者の所得確保、後継者確保のため。移住者を雇用。
2006年〜	都市地方交流プログラムで「AMAワゴン」という名の貸切バスを運行し、都市住民（若者中心）を海士町に迎える。
2008年〜	隠岐島前高校存続事業。高校入学者の減少で高校が廃止されると中学卒業時に子どもが島外に出てしまうため。 養殖岩がき「春香」を築地市場に出荷。

出所：海士町Webサイト[1]から著者作成

　海士町の施策は、第一に、財政難の中で先行投資の元手を作るため、町長を
はじめ、役職員が自主的に給与を下げた。

[写真1-1]
さざえカレー

提供：海士町[2]

　第二に、その原資を、さざえカレー［写真1-1］に始まる地域資源（地域の特産物や観光資源。定義の詳細は後述する）を利用して域外で売れる商品の開発、販売促進費用などの投資に振り向けた。

　第三に、大学生との交流をはじめとして、都会等からの移住促進を進め、成果を挙げた。

　第四に、町の事業として魚介類を買い付けて、鮮度保持力の高い特殊な冷凍加工をし、首都圏、関西圏の飲食店に"こまめ"な営業をすることで、単価を高く維持して販売することに成功した。このため、地元（そのことに直接関係ある土地。その人の住む、また勢力範囲である地域[3]）の漁師の採算がとれ、後継者も生まれるようになった。

　第五に、建設会社の社長が牛の肥育事業を始め、築地市場・首都圏マーケットに売って採算をとることに挑戦した。

　第六に、地元県立高校が定員割れで廃止されそうになる危機を迎えたときに、高校がなくなると、中学を卒業した時点で子どもが島から出なくてはいけなくなり、若者の島への定着に深刻な影響を与えるとの危機感を共有した。対策として、高校の現場に衛星教材やメンターによる勉強支援などを採り入れた。こうして、地元県立高校を島根県内有数の進学校にすることで、島外からも受験生が来る人気高校になり、地元高校を存続させた。

　これらの内容の詳細は［推薦図書1］として本項末にあげている前町長の著作、海士町Webサイトや地域づくりTVの動画等[5]を参照してほしい。

[図1-1]「明日の海士をつくる会」が考える理想的な海士町の好循環

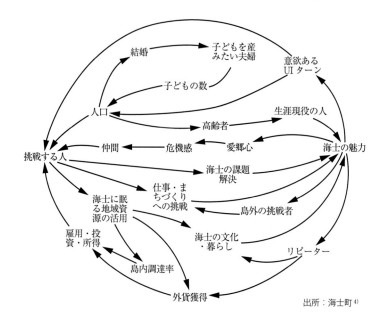

出所：海士町4)

　山内前町長は、1938年生まれ。52歳まで勤めたNTTの営業畑の実務経験から、海士町の官民出資（第三セクター）のホテル経営に携わったのち、町長となった。この意味で、**地域マネジメントに必要なビジョン、経験、マネジメントの知見を兼ね備えていた**と考えられる。

　海士町の様々な事業や取組みは、海士町の人たちの意識の中では、持続可能な地域マネジメントとして、図1-1のように**一体的である**。この図は、海士町の民間11名（漁業・農業・飲食・建設建築・教育・福祉など）、役場9名、うちIターン者10名のメンバーが、2泊3日の合宿を含む「明日の海士をつくる会」の13回のミーティングで、理想の海士町の好循環はどのようなものかをディスカッションして作成したとのことである。生活や人生で求めること、生業やビジネスとして成り立つこと、自然や人や故郷への思い、挑戦することによる生きがい、仲間との喜びなどが、**感性と論理でつながっている**。地域マネジメントで何をしようとしているのかを明確に示していると言える。

[写真 1 - 2]
株式会社
ふるさと海士
の加工施設

提供：海士町[6]

　著者は、2006年、海士町の CAS (CELLS ALIVE SYSTEM) 冷凍事業の中期収支計画の策定に、任意団体「地域産業おこしに燃える人の会」(現　NPO 地域産業おこしの会) の事業として、ボランティアで関わった。CAS 冷凍事業を運営する株式会社ふるさと海士の奥田和司氏、藤井徹氏に、小谷進群馬県中小企業診断士とともにインタビューするかたちで、財務分析、中期収支計画、販売計画の考え方を整理していった。その際にわかったことがいくつかある。

　第一に、CAS 冷凍設備は、株式会社アビー社製の優れた冷凍技術で、解凍時の食味に優れているが、**技術的な優秀さだけではビジネスモデル (ビジネスで儲ける仕組み[7]。ビジネスの要点を単純化して示したもの[8]) の成功は約束されない。テクノロジーは商品化されてはじめて価値を生む**[9] ということである。通常の冷凍よりも高い加工コストに見合った値段で商品を売って、持続的に利益をあげる必要があった。

　第二に、ふるさと海士は、海士町の新鮮な魚介類を、大量に獲れる旬の時季に仕入れて CAS 冷凍して、年間を通して少しずつ販売していくというビジネスモデルである。したがって、事業開始時に在庫を持ち、その後も在庫を一定以上持ち続けなければならない。在庫は会社の財務を圧迫するので、通常、経営コンサルタント等からは良くない経営 (在庫回転率が低い。したがって、ROE (自己資本利益率) が低い) として否定されやすい。しかし、海士町の CAS 冷凍事業

としては、この在庫は必要であった。魚介類は自然のものなので、年によって漁獲高が増減する。不漁の年もある。CAS冷凍事業は、年単位の仕入れの不安定さを、数年単位の在庫調整をすることによって、販売を平準化（均一をはかって、でこぼこのないようにすること[10]。コラム9参照）する事業でもあった。したがって、在庫回転率やROEは、通常の民間企業では考えられないほど低くなる。しかし、単純に在庫回転率やROEを上げようとするとビジネスモデルが成り立たなくなる。このことに気づいて関係者と共有し、初期の資金負担に耐えることが必要であった。このハードルを乗り越えてビジネスモデルが成立したとき、他の模倣を許さない強固な事業戦略になった。他の模倣を許さない強固な事業戦略は、長期間継続する競争力の源となる[11]。

　第三に、海士町のCAS冷凍事業は、地元の漁師さんに利益が出て、後継者ができることも町の目標としていたので、仕入れ価格を漁師さん目線で設定していた。このため、株式会社ふるさと海士は、利益を確保するために、販売の際の単価を高く設定する必要があった。居酒屋チェーン本部などに卸せば、量は売れるが販売単価は低く抑えられてしまう。ふるさと海士のブログ[12]を見ると、販売先の居酒屋やレストランを1軒1軒紹介している。海士町の魚介類のCAS冷凍品に値段以上の価値を見いだしてくれる個店を、1軒1軒開拓していくという、奥田氏を先頭とするひたむきな営業や、個人客への通信販売事業が、ふるさと海士と海士町のCAS冷凍事業の販売単価を向上、安定させ、ビジネスモデルを成立させた。

　ドラッカー（Peter Ferdinand Drucker）も、ひたむきな経営努力がビジネスの成功に決定的な要素であることを指摘している。米国の自動車メーカーであるフォード社がエドセルというブランド名の自動車を発売したが失敗した。マーケットリサーチ、基本設計、エンジニアリングその他をほぼ完璧に行っていた。欠けていたものは一つだけ。全身を投げ打つ者だった。コミットさえあれば成功するということではないが、心からのコミットメント（結果を出すために責任を引き受けて深く関わること）なしには成功のしようもなかったと失敗の原因を分析としている[13]。奥田氏、藤井氏らは、まさに「全身を投げ打つ者」であった。

　2005年に開始したCAS冷凍事業は、当初は、魚種、貝種ごとのCAS冷凍機器の扱い方のノウハウ取得の苦労や、漁獲の不安定さによる販売に必要な量の

[写真1-3]
CAS冷凍事業の製品
ブランドいわがき春香

提供：海士町[14]

確保の苦労、初期投資や在庫積み増しのため財務圧迫といった課題を有していたが、販売、加工の両面での努力で、収支を黒字化させた。

　なお、1986-91年のバブル景気を受けて、第三セクターが数多く設立された。第三セクター（quasi-public corporation）とは、地域開発や都市づくりのために、地方公共団体や国と民間の企業との共同出資によって設立された事業体である。短期的な営利のみを目的とはしない公的な側面を含んだプロジェクトについて、民間の資金やノウハウを導入することのできる方法として、増加した[15]。国内の第三セクターの設立件数は、1990-94年ころ最大となり、破綻件数は不況期の2001年に最大となったとされる[16]。この時期、多くの第三セクター事業が、バブル景気が続くと見込んで見通しの甘い計画で設立された。また、出資者・関係者である行政、民間ともに責任感のないマネジメントであったことも破綻の一因とされている[17]。このような中で、海士町のホテル、CAS冷凍事業などの第三セクターは、課題や経済情勢に向き合って真剣に経営・マネジメントされてきている。

　海士町の地域マネジメントの取組みは、第一に、1999年からと早い時期から取り組んだこと、第二に、個々の事業の収支を黒字にしたことで、それぞれの事業を持続可能にしたこと、第三に、町に必要と考えた、移住者支援、子育て支援、高校の存続などの事業に、行政部署や監督官庁の垣根を越えて取り組

み、結果を出すまでやりきったという特徴を持っている。

　これらは、他の自治体に大きな影響を与えた。海士町の立地のハンディを考えれば、「自分の地元ではできない」という言い訳は、ほとんどが否定されてしまう。「離島補助金などがあるからだ」と言う人もいるが、離島補助金をもらっている自治体のすべてが成功しているわけでもない。海士町の人たちも全国の事例を見学・勉強しに出かけ、また、多くの自治体関係者や国の関係者が勉強のために海士町を訪れている。

[推薦図書1] 山内道雄（2007）『離島発　生き残るための10の戦略』NHK出版
　　海士町 http://www.town.ama.shimane.jp/contact/pdf/torikumi.pdf
　　地域づくりTV https://www.youtube.com/watch?v=0Jrrt5Rq2GI
　　国際大学 https://www.youtube.com/watch?v=UivRrtoqvOA,
　　https://www.youtube.com/watch?v=LGrKG4c9J9M（2020/05/17取得）

（2）上士幌町

　北海道十勝地方の北に位置する上士幌町は、移住者により人口が増えたことで知られている。表1-2や［推薦図書2］の著作、動画等[18]にあるように、竹中貢　町長（2001年から現職）を中心に、地元資源で域外に販売できる商品の試作を続け、長らく苦戦していたものの、ふるさと納税制度によって、それらの努力が成果に結びついたという。

　ふるさと納税制度が始まった当初は、町役場内で、ふるさと納税の寄付の受付け、お礼状書きは総務課、返礼品の発送は商工観光課と業務委託先のNPO、広報と取材対応は企画財政課の3課で役場内の業務の分担どおり対応していた。しかし、竹中町長が、寄付の受付けから広報対応まですべてを一本化して対応するように指示し、企画財政課にふるさと納税担当を設けて当たった。その上で、担当者が不在や手が離せないときに、他の部署の人でも外部からの問合せに対応できるよう、勉強会をしたり、マニュアルを作成したという[19]。このようにして、2016年には、2013年の10倍に当たる21億円の獲得に成功

した。

　表1-2のような2009年からの施策が、2016年以降のふるさと納税からの収入に結びつき、その資金が子育て支援などの次の施策を可能にして、多様な移住者を受け入れることに成功し、移住者によってさらに新しい事業が生まれている。若い移住者が多いことや、地元出身の若者の定着が増えて子どもが増えたことが、人口の増加に結びついている。

[表1-2] 上士幌町の地域マネジメントの取組み

2009年〜	地元商品開発開始。「農林商工等連携促進事業」を創設し、財政的な支援。黒毛和牛、エゾシカ肉販売
2010年〜	だったん蕎麦、道の駅構想イベント、ネットショップサイト
2011年〜	ナイタイ牧場レストハウスでの和牛販売
2012年〜	大豆加工品、子羊肉、空き店舗をアンテナショップに
2013年〜	アイス工房、チーズ工房、養蜂園オープン
2014年〜	牧場と養蜂園のコラボ商品開発、ピザとワインの店、ハーブ牛
2015年〜	農林商工等連携・ビジネス創出促進事業開始。 ヨーグルト、羊羹販売 2015年から人口増（〜2018年　116人） 2015年から企業誘致・域内雇用創出。 2015年から子育て支援　無料こども園　移住促進。
2016年〜	焼酎販売
	ふるさと納税　2013年2.4億円　2016年21億円　2018年20億円超[20]

出所：上士幌町Webサイト[21] から著者作成

[写真1-4]
ふるさと納税
十勝ナイタイ
和牛定期便

提供：上士幌町[22]

[写真1-5]
上士幌町認定
こども園

提供：上士幌町

注：2015年からの上士幌町の子育て支援策の一環として、
無料のこども園を開設した[23)]

　NPO法人上士幌コンシェルジュで移住者支援を担当している川村昌代氏
は、「外の人たちに来てくれ、移住してくれと呼びかけるという気持ちではな
くて、移住してきてくれた人たちが満足してくれることに注力している。月に
1度、移住者が中心となって、料理を持ち寄り、その月生まれの人のお祝いを
する会が、もう10数年も続いている。そこに体験移住として滞在中の人が参加
することも多く、大事な交流と情報交換の場となっている。町役場・上士幌コ
ンシェルジュ・先輩移住者という三者の連携が上士幌ではとてもうまくいって
いて、それが多くの移住者を呼ぶことに繋がっていると思う」としている[24)]。

　竹中町長は、1948年生まれ、1971年に上士幌役場に入って30年間役所勤めを
してから、2021年現在、20年間町長を務めている[25)]。民間企業での実務経験は
ないが、地域マネジメントに必要なビジョンを持ち、地域資源を加工した商品
を開発して販売する過程で、なかなか販売が思うように伸びないなどの経験を
積み、マーケティング、マネジメントの知見と経験も得て、また、豊富な行政
経験を活かして、移住促進や子育て支援、道の駅構想などを進めていると考え
られる。町長を見てきた地元の人は、町長はいろいろなことに挑戦してきた
が、すべて成功しているわけではない。行政の人の多くは、何もしなければ失
敗しないので腰が重いが、町長は「やってみるべ」と挑戦してきた。民間では

10のうち５も成功したらすごいが、行政は５の失敗を責められる。それを承知で果敢に挑戦するのだから、たいしたもんだ[26]と評している。

[推薦図書２] 黒井克行 (2019)『ふるさと創生　北海道上士幌町のキセキ』木楽舎
地域づくり TV https://www.youtube.com/watch?v=p7KEqDqF7Jo（2020/05/23取得）
ふるさとチョイス https://www.furusato-tax.jp/choiceeds/machidukuri/kamishihoro.html　（2020/05/23取得）

（3）海士町、上士幌町に共通すること

　海士町、上士幌町は、地理的に東西に離れており、環境も、離島であったり、北海道の内陸であったりと異なるが、**地域マネジメントには共通点が多い**。

　第一に、地元の素材を加工する商品開発と域外への営業で、町に**雇用と利益を継続的に得る努力**を長年にわたり重ねてきた。目標を明確にし、全国の事例から様々な知識を獲得しながら、自分たちで戦略を細かく立てて取り組んだ。国の制度や助成頼みではなく、自ら持続可能な地域マネジメントを志向した。結果として、海士町も、上士幌町も、立地が良い場所ではないが、着実に一つずつ事業を成功させている。

　第二に、新規事業にリスクを恐れずに挑戦することと、移住者を支援することで、能力とスキルと志を持った**若者がUJIターンで町にやってきた**。さらに、若者が新規事業を進めていく原動力になっている。挑戦する人を支援すること、移住者と住民をともに尊重し、つながりを作る努力もなされている。

　第三に、子ども、若者を定着させ、さらに増やすため、**子育て、教育に大胆に投資**して成果を生んだ。

　第四に、これらの試みについて、**経営マインドのある首長**（自治体の長）が、**長期間、町のマネジメントにコミット**（結果を出すために責任を引き受けて深く関わる）**してきた**。山内前町長は16年間にわたり町長を務め、竹中町長は2001年から2021年現在も現職にある。新たな挑戦を始めて、すぐには成果が出なくて

も、長い目で地域のことを見ながら努力や挑戦を続けている。また、役場にも住民にも地元への熱い思い、志があり、地元のために自分たちは何ができるのかを考え、行動した。行政の活動が、定型的なものに限定されず革新的で、様々なイノベーションを起こしている。リーダーと、役場職員、地元企業、住民に、相互の信頼関係、サポートしあう関係性、一体感があった。

コラム1

段取り八分、バックキャスティング

　本書では、地域で成果を挙げている人たちの活動と、その背景にある理論を採り上げていく。海士町、上士幌町ともに、生き残りのための将来像を描いて、必要な施策を打っている。昔から、仕事を進めるに当たっては**先を見通して段取り良く仕事を進める必要**があるとされ、先輩から後輩に理論や手法が引き継がれてきた。

　段取り八分ということわざは、事前にきちんとした段取りをしておけば、仕事の8割方は完了しているようなものだという意味で[27]、先を読んだ事前準備の大事さを説いている。

　同じような言葉に、**中央省庁のロジ**がある。ロジとは、英語のロジスティクス（logistics, 戦場の後方で行う物資の調達や補給。兵站。原材料の調達、生産、在庫、販売に至る流通[28]）の略称で、中央省庁で使用されるロジの意味は段取りと同じである。

　もともとは、外務省が行う国際会議のための膨大な事前準備を指す言葉で、その内容を冊子にしたものをロジブックと言う。外務省で研修を受けたある自治体職員は「初めてロジブックを見たときにはその厚みに驚き、『ここまでする必要があるのか』と正直思いましたが、実際に体験をして、国際会議を実り多きものとするために必要な準備を積み上げたものだとよく分かりました」と感想を述べている[29]。転じて、外務省以外の中央省庁でも、法律制定や、大がかりな仕事の準備の段取りをロジと言い、内容を固めていく作業（こちらはサブと言う。サブスタンス　Substance, 物、実質、中身の略称）と並んで重要視している。

　バックキャスティング（Backcasting）の言葉の意味は、Back（後ろに）cast（投げる、放る）することで、**将来から現在に投射して考えること**である。反対語はフォアキャスティング（Forecasting, 現状をもとに将来を予測）である。バックキャスティングは、まず理想的な未来像を想定し、そこから現在を振

り返って（投射して）、理想と現実のギャップを考え、時間軸の中でこれからな すべきことを考える。関係者で将来目標を共有し、必要なことを盛り込んだ 実現性の高い計画を立てることができる手法である。1997年にスウェーデン の環境保護省が "Sustainable Sweden 2021" レポートで使用したことで 知られるようになった[30]とされる。

　日本では、段取り八分のことわざが昔からあるように、先を見通して、今 するべきことを考えることが重視されてきた。例えば、1970年代以降の日本 の自動車の排気ガス規制は、将来に厳しい規制目標を設置しておいて、自動 車各社が規制をクリアするための技術開発を期間内に行って達成された。一 般に、規制は、問題が起きてから規制するのではなく、将来を見越して、企 業や住民が努力すれば対応できるくらいの規制を将来のいつ行うと宣言して、 その期限までに改善を促すのが上策とされる。バックキャスティングの考え 方は、国の政策、仕事や生活の中で大事にされてきたと言える。

［注］
1)　海士町 http://www.town.ama.shimane.jp/　（2020/05/17取得）
2)　海士町 http://www.town.ama.shimane.jp/topics/pdf/amaChallengePlan2015.pdf　（2020/08/20取得）
3)　広辞苑 第七版
4)　海士町 (2015) http://www.town.ama.shimane.jp/topics/pdf/amaChallengePlan2015.pdf　（2020/08/20 取得）
5)　山内道雄 (2007)『離島発 生き残るための10の戦略』NHK 出版
　　海士町 http://www.town.ama.shimane.jp/contact/pdf/torikumi.pdf
　　地域づくり TV https://www.youtube.com/watch?v=0Jrrt5Rq2GI
　　国際大学 https://www.youtube.com/watch?v=UivRrtoqvOA
　　　　　　 https://www.youtube.com/watch?v=LGrKG4c9J9M　（2020/05/17取得）
6)　海士町 http://www.town.ama.shimane.jp/tokusan.html　（2020/08/20取得）
7)　有斐閣 経済辞典 第 5 版
8)　三谷 (2019)（pp.28-29)
9)　チェスブロウ (2008, Chesbrough［2008］)（p.76)
10)　広辞苑 第 7 版
11)　楠木 (2012)
12)　株式会社ふるさと海士のブログ http://furusato-ama.jugem.jp/　（2020/08/20取得）
13)　Drucker (1990)（上田（訳）,2007)（pp.7-8)
14)　海士町 http://www.town.ama.shimane.jp/kurashi/guide/10800/10802/post-29.html　（2020/08/20 取得）
15)　有斐閣 経済辞典 第 5 版
16)　深澤 (2005)（pp.64-66)

17）吉田（2019b）（p.80）

18）黒井克行（2019)『ふるさと創生 北海道上士幌町のキセキ』木楽舎
　　地域づくり TV https://www.youtube.com/watch?v=p7KEqDqF7Jo
　　ふるさとチョイス https://www.furusato-tax.jp/choiceeds/machidukuri/kamishihoro.html
　　（2020/05/23取得）

19）黒井（2019）（pp.96-98）

20）日本経済新聞 https://www.nikkei.com/article/DGXMZO42343900S9A310C1L41000/ （2020/05/23
　　取得）

21）上士幌町 https://www.kamishihoro.jp/ （2020/05/17取得）

22）上士幌町 https://www.furupay.jp/ （2020/05/17取得）

23）上士幌町 https://www.kamishihoro.jp/place/00000225 （2020/05/17取得）

24）北海道移住促進協議会 https://www.kuraso-hokkaido.jp/ccrc/ccrc_interview_03.html
　　（2020/05/23取得）

25）上士幌町 https://www.kamishihoro.jp/files/up/0001/00004172_1490232542.pdf（2021/01/24
　　取得）

26）黒井（2019）（p.94）

27）Tap-biz ビジネス用語 https://tap-biz.jp/business/business-terms/1045615（2020/09/12取得）

28）有斐閣 経済辞典 第5版

29）外務省 https://www.mofa.go.jp/mofaj/gaiko/local/pdfs/kenshu_1003.pdf（2020/09/12取得）

30）国土交通省 https://www.mlit.go.jp/kokudokeikaku/futurevision/ （2020/09/12取得）

第**2**節 地域マネジメントとは

（1） 地域振興、地域活性化から地域マネジメントへ

　地域振興、地域活性化等という言葉をよく聞く。地元を良くしたい。故郷の限界集落がなくならないようにしたい。地元で若者が働けるようにしたい。様々な動機がある。長らく言われていて、成果がなかなか見えない言葉でもあるが、全国で様々な試行錯誤が行われ、経験が蓄積してきたことも事実であろう。

　現在は、いわゆる「地域振興」「地域活性化」にとどまらず、「**地域マネジメント**」**を実施しなければならなくなった**と考える。「地域振興」「地域活性化」という言葉は、いつまでに何を達成するという目的がはっきりしない言葉である。「地域マネジメント」は、目的と、そこに至るまでの中間過程、時間軸を意識している言葉である。

　なぜ、地域マネジメントを実施しなければならなくなったかというと、現在の日本が人口ボーナス期から人口オーナス期に入ったからである。**人口オーナス**は、国や地域の人口構成が、高齢人口が増え、少子化で生産年齢人口が減り、財政、経済成長の重荷となった状態をいう。オーナス（onus）は、重荷・負担の意味である[31]。日本の人口が若くて増加していた時代は、高度成長、高利子率、財政黒字であった。人口が増えると消費が増え、経済成長も高い傾向となる（人口ボーナス期。Bonus：良いもの、財産。）。企業活動が盛んになるので、投資資金が求められ金利が上がる。金利が高ければ、若い時に貯金したり、年金を払って貯めておけば、利子がついて大きな老後資金になる。例えば、金利が7％付けば10年で約2倍に増える（複利計算）。2,000万円の貯金があって金利が10％付けば、毎年200万円ずつ使っても元の貯金を減らさないで生活できる。

　人口が増え、税収が増え、物価が上がって借金が目減りする時代は、国や自

［表1-3］1970、2020年度比較

	1970年度	2019年度
経済成長率[32]	17.9%	0.3%
普通国債残高／GDP比[33]	3%	237.7%
日本銀行・銀行間短期金利[34]	6.25%	▲0.1%
物価上昇率[35]	8.4%	0.6%

治体が借金をしても返済は容易であった。現在は、人口は減り、税収は上がらず、金利は付かず、物価は下がりぎみなので、国や自治体が借金をすると返済は容易ではない。表1-3の普通国債残高／GDP比の大きな数字を減らすことができないでいる。地域マネジメントの考え方による適切な対策を出し続けないと、地元の持続可能性は保てなくなっている。現在の人口オーナス期は、いつまでに何を達成するという目的がはっきりしない、いわゆる「地域振興」「地域活性化」という考え方では、成果を上げることができなくなっている。

「地域振興」「地域活性化」は、拠るべき理論や手法は決まっておらず、したがって、各人、各自治体が独自に考えて、自分が良いと思うことを、自分が使える経営資源・リソース（人、モノ、金）を使って行ってきた。

著者は、1992-4年、通産省から岩手県庁に出向し、工業振興や、岩手県央に高度な産業を誘致・育成する北上川流域テクノポリス構想に携わった。2000年から、首都圏西部に多く存在する研究開発型中堅中小製造業に対して、産学官連携による技術・製品開発を支援するTAMA協会（（一社）首都圏産業活性化協会）をマネジメントした。2002年からは、そのコンセプト（概念）を産業クラスター政策として全国展開する仕事に携わった。2012-15年、国土交通省観光庁観光地域振興部長を務め、全国の観光で地域振興に挑戦する関係者と交流するなど、地域振興に関わってきた。プライベートでも、2003年からは、岩手県、海士町や出雲市などの島根県、高知県馬路村、北海道帯広市、上士幌町、2015年からは宮崎県などの地元に強い思いをもった全国各地の人たちと関わり、交流を継続してきている。

全国の「地域振興」「地域活性化」の中には、うまくいった活動もあれば、そうでないものもある。せっかくうまくいっていたのに、キーパーソンが人事異動などで活動から離れたために消えてしまった活動もある。国の予算が付い

たから活動したが、予算がなくなったのでやめた活動も数多く見てきた。

　いわゆる「地域振興」「地域活性化」には拠るべき理論や手法がないので、行ったことに関して、どこが良くてどこが悪かったか評価することが難しい。「良い事例」をまねするときも「良い事例」のどこが良かったのか理解しにくい。「良い事例」の見学ツアーに行ったとしても、短時間で得られる限られた情報の中で、自分が学ぶべきことを見極めるのは難しい。良い事例を見て回ったり、勉強するだけでは、自分たちの経営に活かせないことが多い。

　その理由について、経営学者の楠木建 一橋大学教授は、第一に、たくさんの事例を統計的に処理して成功の法則を導き出し、それに従って経営しようとしても、平均的なマネジメントをすることになって激しい競争にさらされてしまったり、環境に対応して自分で戦略を考えることができなくなってしまう。第二に、成功事例を知ることは意味があるが、成功事例の目立つ部分を採り入れるだけでは、企業戦略の本質である他社との違いを作ることや、戦略を総合的に作ることに逆行するし、企業戦略の本質が失われてしまうとし、それらの結果、良い事例を見て回ったり、勉強するだけでは、自分の事業の経営はうまくいかない[36]としている。やはり、**自分の頭で考え抜いて、行動して、失敗して、直して、ビジネスモデルを作り上げる必要がある**と言える。

　行政がいわゆる「地域振興」「地域活性化」にお金をかけて行ったが成果は出ず、それを誰も見とがめないという事例も多かったのではなかろうか。民間企業であれば経営者の責任が問われかねないような事業も、全国には少なからずあったのではなかろうか。

　地域マネジメントは、経営学・マネジメントの一領域であるので、実務家が行動し、経営学の理論やマネジメント手法に則って考えたり評価しながら、環境に応じて行動を継続することができる。経営学・マネジメントの理論や手法には、20世紀初頭から[37]の世界中の経営に関する知見や理論、成功例や失敗例に基づく経験のエッセンスが蓄積されている。企業などの営利企業のマネジメントだけではなく、病院、NPOなどの非営利組織のマネジメント[38][39]も研究され、実行されている。

　巨人の肩の上にのる矮人（ラテン語：nani gigantum umeris insidentes）という言葉がある。西洋のメタファー（隠喩）であり、先人の積み重ねた発見に基づい

て何かを発見することを意味する。科学者アイザック・ニュートンが1676年にロバート・フックに宛てた書簡で用いたといわれる[40]。

習いごとで例えると、最初から先生に就いて、基礎を習い、変な癖がつかないように指導してもらうと、段取り良く、筋の良い進め方ができるようになる。人によっては師匠を超えていけるようになる。一方で、先人に習わないで自己流で取り組むと、変な癖がついたり、簡単なことでつまずいたりしがちである。

地元を良くしたい、故郷の限界集落がなくならないようにしたい、地元で若者が働けるようにしたいなどの、様々な動機に衝き動かされながら、**自分たちの感性や経験を大事にするとともに、先人が積み重ねてきた知恵、すなわち、経営学・マネジメントの理論や手法も踏まえて地域マネジメントを実現していくことが、重要な時期にきていると考える。**

（2）マネジメントとは

マネジメントとは、人を通じて仕事をうまく成し遂げることである[41]。マネジメントに関する経営学の知的蓄積は、第5章で後述する。企業経営を行うに当たって、世界中の経営者、役員等は、自らのビジョンを掲げ、事業遂行で得た成功や失敗の経験を踏まえ、経営学や各種の経営ノウハウを学んで経営している。

経営理念、中期計画、年度計画を策定したり、経営分析手法を使って分析したり、競合他社をベンチマーク分析する（企業の活動・プロセス・製品・サービスなどといったものを他社と比較し分析する手法）などのマネジメントの理論や手法は、多くの企業で日々、毎月、毎四半期、毎事業年度ごとに使用され、実行され、修正され続けている。

よく使われる経営分析手法には、SWOT分析（Strength（強み）、Weakness（弱み）、Opportunity（機会）、Threat（脅威））、PEST分析（Politics（政治）、Economy（経済）、Society（社会）、Technology（技術））、VRIO分析（Value（経済価値）、Rarity [Rareness]（希少性）、Imitability（模倣可能性）、Organization（組織））、4P理論（Product（商品）、Price（価格）、Place（流通）、Promotion（販売促進））、4C理論（Customer Value（顧客価

値）、Customer Cost（顧客負担・コスト）、Convenience（利便性）、Communication（コミュニケーション））、STP マーケティング（Segmentaion、Targeting、Positionig）、**5 フォース分析**（「競争企業間の敵対関係」「新規参入業者の脅威」「代替品の脅威」「買い手の交渉力」「売り手の交渉力」。コラム 4 参照）などがある。

　企業活動は、中小企業では企業全体で一つの事業を行っている場合もあるが、中堅企業以上の規模の会社では、一つの会社で複数の事業を行っていることが多い。この場合の事業とは、例えば、カメラを製造販売するなど、一つの種類の製品を設計、生産、販売して収支を黒字にする活動を言い、そのための戦略を**事業戦略**と言う。企業によっては、カメラ、プリンターなど複数の種類の製品に関連する事業を持っていて、どの事業に力を入れようかとか、この事業は撤退して事業売却をしようかなどのマネジメントを全社的に考えており、このような戦略を**企業戦略**と言う[42]。大きな企業では、**企業全体の企業戦略と、事業部門ごとの事業戦略が多段階に組み合わさっている**。実務の現場では、企業戦略と事業戦略は相互に絡み合いながら時間軸の中で動いていくので、実際には二つの戦略を二分法で分けて考えることはできない。

　ドラッカーは、著書『マネジメント』で、以下のようにマネジメントの中心となる考え方を述べている。

- ・何事かを成し遂げようとするには、**事業の目的と使命を明確にすること**。そうすれば、優先順位、戦略、計画が決まる。
- ・戦略が決まれば、組織の在り方、活動の基本が決まる[43]。
- ・事業の目的と使命を明確にするには、「**顧客は誰か**」という問いが最重要である[44]。
- ・顧客にとっての価値は多様なので答えを推察してはならない。直に聞かなければならない。
- ・目標設定の中心は、**マーケティングとイノベーションである**。顧客が、対価を支払うのは、この二つの領域の成果と貢献に対してだけである[45]。
- ・マーケティングの目標設定は、①どの市場に集中するか、戦場の決定、②いかなるセグメント、製品、サービス、価値でリーダーとなろうとするのか市場地位の決定である[46]。
- ・イノベーションの目標は、われわれの事業は何であるべきかとの問いに対

する答えを、具体的な行動に移すためのものである。

・イノベーションには、①製品、サービスにおけるイノベーション。②市場におけるイノベーション。③製品、サービスを市場に持っていくまでの流通チャネルのイノベーションの3種類がある[47]。

（3）地域マネジメントとは

地域マネジメントとは、地域の経済活動、住民の雇用、生活、教育などが持続可能となるように、上記のような意味でのマネジメントをすることであると言える。

地域は、地域内に、民間企業、行政、非営利組織、住民など多様な主体がいて、それぞれに生計を営んでいる。会社とその事業部門との関係ほど直接的ではないが、何らかの関係を持っていて、地域全体としての盛衰もあれば、地域全体のブランドイメージ（brand image, 特定の銘柄について大衆のもっている印象[48]）も形成される。

地域で重要な役割を果たしている企業は、赤字になったら継続できない。同じく、地域の非営利組織も、財政面で赤字になったら継続できない。非営利組織が人々のボランティア、寄付によって財政面で成り立っていたとしても、無償の行為に対して満足度や内発的動機（個人の内側から湧き上がる感情であり、自らの意思で頑張ろうという動機付けプロセス[49]）が伴わなければ、人々のボランティア、寄付は持続可能とはならない。

どうすれば地域を持続可能とするようなマネジメントができるのであろうか？

（4）地域マネジメントの多段階性

写真1-6の花束が、一つひとつの花の調和で、全体として一つの美しさを見せているように、地域経済は、域内で活動する人たちや組織などの個々のビジネスモデルの束であると同時に、全体としても一つの存在で、ビジネスモデルやブランドイメージを持っている。

[写真1-6]
花束と花

提供：菊地智美 氏

　地域マネジメントが難しいのは、地域（花束）に様々な企業、非営利組織、行政など（花々）があり、地域（花束）としての魅力で人を引き付けるビジネスモデルと、一つひとつの花に当たる企業、非営利組織、行政などの各々のビジネスモデルがあり、これらの複数段階の多数のビジネスモデルをすべて黒字化、持続可能とすることが必要だからである。

　例えば、地域活性化の課題の一つに商店街活性化がある。商店街は、個店のビジネスモデルの束であるとともに、商店街全体として客を引き付けるビジネスモデルを成立させる必要がある。一つひとつの花（一つひとつの個店）が生きていることと、花束（商店街）としての魅力で人を引き付けることの両方が必要である。また、商店街は、全体として、他の花束（例えば全国チェーンのショッピングモール）と競争している。全国チェーンのショッピングモールは、本部が全国の市場をマーケティング調査し、出店する立地や、どのような店をテナントに入れるか（テナントミックス。商業集積のコンセプトを実現するための、最適なテナント（業種業態）の組合せ[50]）を考え、建物や駐車場の規模や機能を設計して投資し、進出する。予定の売上げが上がらずに赤字になればタイミングを図って撤退する。商店街は、このような強い相手と競争している。

　古民家の町並み、いわゆる伝統的建造物群は、美しく、品があり、伝統を感

[写真1-7]
宮崎県日向市
美々津の
伝統的建造物群

提供：日向市[51]

じられ、誰もがその存続を願う。しかし、伝統的建造物群保存地区の活性化が
難しいのは、地区としての家並みの魅力の保全と、手を入れると数千万円かか
るといわれる1軒1軒の古民家の修復、維持を持続させることの両方を実現し
なければならないからである。

　企業のマネジメントのうち、企業戦略は企業全体の戦略、事業戦略は事業部
門や子会社の戦略であった。地域マネジメントも、企業戦略に当たる地域全体
のマネジメントや、事業戦略に当たる商店街や古民家の町並みの保全、さらに
は、地域を構成する個々の企業、非営利組織、住民など個々の主体のマネジメ
ントといった、**多段階のマネジメントを総合的に考える必要**がある。

　[推薦図書3] 長坂泰之（2011）『中心市街地活性化のツボ 今、私たちができるこ
　　　　　　　と』学芸出版社

（5）地域とは

　地域振興、地域活性化、地域マネジメント等というときの「地域」とは、ど
のような地理的範囲を示す言葉であろうか。
　結論を先に言えば、地域マネジメントの「地域」の範囲は、どのような地域
マネジメントを考えるかによって変わるという考え方が一般的である。

　宮崎県の観光振興といえば宮崎県になる。

　高千穂町の観光振興といえば高千穂町になる。

　高千穂への観光客の動線を調べた結果、熊本空港からの入り込みが多く、阿蘇から足を伸ばして高千穂に来る客が多いとすれば、**熊本空港、阿蘇、高千穂といった「地域」を考えなければならないかもしれない。**

　APEC（アジア太平洋経済協力 Asia-Pacific Economic Cooperation）は、**図１-２の地域を対象としている。**広大な範囲にわたっているが、海上交通による物流コストは陸上輸送より低いことが多く、部品や工作機械のやり取りによる国際的な生産の分業が、この地域で盛んに行われている背景があった。著者は、1987-8年、通商産業省（以下「通産省」）国際経済課係長として、APEC 設立準備業務に従事した。東アジア各国の工業発展も加わって、APEC は、経済、貿易面で意味のある協力を1989年から継続してきており、その意味で、一つの地域として考えることに実質的な意義・重要性を有している。

　こうして見ると、APEC 地域より小さく、都道府県よりも大きい「**日本**」を「地域」として考えてもおかしくない。**日本の活性化にも、日本地域をマネジメントするという考え方が求められる。**国の財政金融、雇用のマネジメントを研究し、処方箋を提言する学問はマクロ経済学である。国レベルの地域マネジメントを考える場合には、経済学の知見が有意義となることは後述する。

　村岡浩司・株式会社一平ホールディングス代表取締役社長[52]は、「九州」と

[図１-２]
APEC 参加国

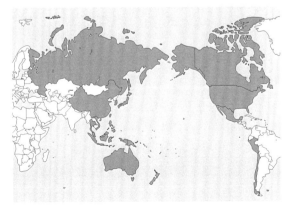

出所：外務省[53]

いう「地域」をブランド化しようとしている。経営の目的と使命を「九州の魅
力を世界へ届けたい」としている。九州は十分大きく、九州地域より GDP や
人口、面積が小さな国はたくさんある。アジアや世界を市場として考えて、九
州を地元とする経営戦略を立案して行動している。

　このように、地域マネジメントの「地域」の範囲は、どのような「地域マネ
ジメント」を考えるかによって、すなわち、事業の目的と使命を明確にするこ
とによって、決まると考えることができる。

　[推薦図書4] 村岡浩司（2018）『九州バカ　世界とつながる地元創生起業論』文屋

（6）地域経済の全体像

　図1-3は、地域経済の全体像を、経営・マネジメントの視点からイメージ
したものである。地域の基本が自然と人であることは、図1-1の海士町の取
組みの目標が、「海士の魅力」と「挑戦する人」の2点にフォーカス（焦点を当
てる）されていることと整合的である。自然と人の接点の一つである日本の里
山が再評価されて[54]いる。人々の営み、集落のコミュニティ、祭り、文化な
どが伝統として伝わっている。人が自然と最も密接に関わって営む産業が農林
水産業などの一次産業であり、それらを加工する二次産業や、サービス業など
の三次産業が発達してきた。

　地域は域外にモノやサービスを提供する対価として、雇用と利益を獲得して
いる。地元向けの三次産業は、地元の人たちの住みよい暮らしに貢献して収入
を得ている。ここで、地域経済の中の各主体が雇用や利益を得ている市場には
3種類あることを意識することが必要である（図1-4）。

　第一に、地元商圏である。地元商圏で生きる地元企業は、日本経済や、地元
経済の浮き沈みを受け入れる立場にある。経営者は、人口減少、少子高齢化に
伴う地元商圏の縮小の中で生き残れるか冷静に判断する必要がある。役場、公
共機関、団体も、同様に地元経済の浮き沈みを受け入れる立場にある。公的機
関に就職したら人生が安泰という時代ではなくなってきている。観光について

[図1-3]
地域経済の
全体像

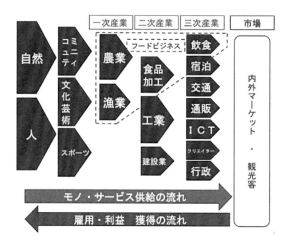

[図1-4] 地域マネジメントが対象とする3種類の市場

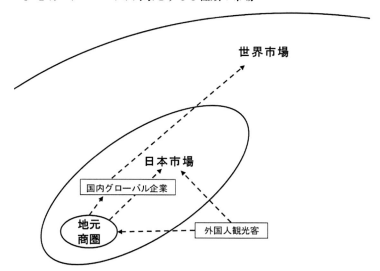

は、外国人観光客の来訪によって世界市場と直につながってきているほか、近場からのリピート客の誘客が観光業の収益のベースになっている。COVID-19（新型コロナウイルス感染症）の環境下では、近場からの誘客が見直された。

　また、地元企業は、地元住民の生活の利便を支えている。例えば、ガソリンスタンドがなければ、遠くまでガソリンを入れに行かなければならない。台風

で屋根が壊れて雨漏りするときに、地元に工務店がなければ修理がたいへんである。友達とおしゃべりができる飲食店がなければコミュニティは成り立ちにくい。地元商圏の縮小の中で、地元商圏で生きる地元企業が減っていくと、ますます生活がしづらくなってしまう。

　第二は、東京・首都圏、関西圏をはじめとする全国市場・日本市場である。地元系全国企業が地域の経済と雇用の基礎となっている。全国に付加価値を提供し、見返りを地元が獲得する。地元企業の作った部品が、国内のグローバル企業の製品に組み込まれて輸出されれば、世界市場につながることになる。地方行政の施策としては、全国市場に販売する企業の育成・支援、誘致がある。国内観光客の誘客も同じ効果を持っている。全国市場は・日本市場、日本の人口減少、少子高齢化により、縮小が見込まれている。

　第三は、世界市場である。国内のグローバル企業が日本の経済と雇用の基礎となっている。世界に付加価値を提供し、見返りを日本が獲得する。地元にグローバル企業の本社や工場があれば、世界市場から雇用と利益を獲得する。地方行政の施策としては、グローバル企業を誘致をすることや、今ある会社や工場の定着のために、会社の困りごとに迅速に行政が対応するなどの支援がある。近年は、海外観光客の誘客も世界市場から雇用と利益を得る効果を持っている。世界市場は、今後とも、世界人口の増加や、途上国の所得向上、富裕層の増大により、拡大が見込まれている。

　なぜ、地域経済の中の各主体が雇用と利益を得ている市場には3種類あることを意識する必要があるかというと、地元にどのような企業を誘致したり、育成したりしたらよいかを考え、マネジメントするときに考察の軸になるからである。

　例えば、地元にＩＴ企業を誘致することについて考えると、誘致されたＩＴ企業は首都圏などの域外で仕事を受注して、地元で雇用された人が対応して利益を上げ、収入を得る。域外にサービスを提供して、域外から利益・雇用を持続可能性をもって獲得してくれることが期待される。

　別の例として、地元に全国チェーンのショッピングモールを誘致することを考えると、ショッピングモールは、海外、全国からコストパフォーマンスが高

いモノを仕入れて、地元で売る。地元の商圏から利益を上げるビジネスである。消費者にとっては選択肢が増え、ショッピングモールで働く人は雇用・収入を得られるが、地元商店街など地元商圏で生きている事業者にとっては競争関係となる。地元の一次、二次、三次産業への波及も限定的である。このようなことを、**地域マネジメントが対象とする市場を踏まえて考察する必要が**ある。

　ある地方自治体で、首長が"大企業を誘致したい"ということで、地元の一等地に全国チェーンのショッピングモールを熱心に誘致して、あとで商店街の人たちや住民から苦情を受けたという事例がある。全国チェーンのショッピングモールを誘致することが悪いとは言えない。しかし、それが、IT企業や製造業の誘致と**同じ効果を地域経済にもたらすと考えて行動しているとしたら誤**りである。この事例は、地域経済が対象とする市場には3種類あり、それぞれの企業がどの市場に対してビジネスをしているのか、その企業が地元経済にとってどのような役割を果たすのかを考察する必要性を示している。

コラム2

日南市の企業誘致の考え方

　宮崎県日南市は、持続可能な市という政策目的を設定した。人口ピラミッドを「ドラム缶型」、すなわち、**高齢者も若者も、世代ごとの人数を均一にすることを目標**に設定した。理由は、低コストで持続可能な地域社会とするためである。世代ごとの人数が同じなら、学校の数も高齢者用の施設数も、サービスの提供に必要な人数も一定にすることができ、中長期の関連行政コストに無理が来ない。

　このため、人口ピラミッドの世代別人数を調べ、人口が少ない20代、30代の人口を40代以上の世代と同じ人口まで増やすことを目標に設定した。調査の結果、その世代が望む「事務職」が日南市に少ないことが課題であるという仮説を立て、対応策として**IT企業誘致と20代、30代の定着、移住促進を施策**とした。企業誘致の手段としては、「民間企業の要望に迅速に応える行政組織となる」ことを実践した。これにより成果を挙げつつある。人口ピラミッドを「ドラム缶型」にすることが目標なので、定着、移住促進策はやみくもに人を増やせば良いということではない。日南市で200人雇用したいといった

企業の進出は、地元には過大なのでお断りしているという。

　日南市の企業誘致の考え方は、20代、30代が施策の対象であり、人数増加の目標も**図1-5**の当該世代の人口を矢印のように増やして、人口ピラミッドを「ドラム缶型」にしたいと、数値目標、上限が明確である。地域マネジメントとして優れた論理と実践であると言える。

[図1-5] 日南市の「ドラム缶型」人口ピラミッド化のイメージ

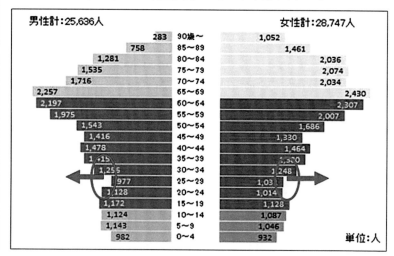

出所：日南市

（7）地域資源

　地域資源の定義については、2007年制定の「中小企業による地域産業資源を活用した事業活動の促進に関する法律」第２条第２項の「地域産業資源」の定義を用いるのが一般的とされる。第一に、地域の特産物として相当程度認識されている**農林水産物又は鉱工業品**。第二に、その鉱工業品の**生産に係る技術**。第三に、文化財、自然の風景地、温泉その他の**地域の観光資源**として相当程度認識されているもの。と規定されている。また、地域資源を幅広く捉える考え方として、**表1-4**のような分類例がある。法律の定義には入っていないが、地域で最も重要な資源は、人的資源、人材ではないかと考えられる。

　資源という言葉、概念について、経済学では、生産に必要な労働・土地・自然資源などの本源的生産要素や生産手段としての資本財[55]であり、その**対価がプラスのもの**である。同じモノでも、ビジネスモデルを作って黒字化できれば資源となり、処理に費用を払う必要があれば（対価がマイナスであれば）**廃棄物**とされる。資源と廃棄物はぜんぜん違うモノのように思えるが、同じモノを、**顧客にとって購入するに値する価値があるか**という側面で見ているだけということがわかる。経営学では、ドラッカーは、企業とお客さんによる貨幣を伴う交換の中で、財・サービスは「商品」となる。購入するに値する魅力、「価値」を感じてもらう財を世の中に提供し、われわれの生活に貢献すること。このことに企業の存在意義があると言っている[56]。

　法律上の廃棄物の定義は、1970年制定の「廃棄物の処理及び清掃に関する法律」第2条第1項で、「ごみ、粗大ごみ、燃え殻、汚泥、ふん尿、廃油、廃酸、廃アルカリ、動物の死体その他の汚物又は不要物であって、固形状又は液状のもの」というように、いわゆるゴミに該当するモノを列挙して定義していた。それに対して、例えば、ふん尿であっても、肥料等として売れれば、**経済学の意味では資源なのではないか**といった指摘や、採算が合えば廃棄物でもリサイクルすべきでないかといった問題提起がされていた。

　2000年制定の「循環型社会形成推進基本法」第2条第2項で、廃棄物等という概念を新たに作り、従来の定義の廃棄物に加えて、リサイクルで収集、廃棄された物品や、製品の製造、加工、修理、販売、エネルギーの供給、土木建築に関する工事、農畜産物の生産などで副次的に得られた物品を併せて廃棄物等とし、同法第2条第3項で、循環資源とは、廃棄物等のうち有用なものをいうとした。新しい法律では、**廃棄物等（いわゆるゴミ）のうち、対価がプラスのものを「循環資源」と名づけ、改めて資源であると再定義**した。

　獲れすぎた農作物の価格が下がって出荷すると損をしてしまうので、せっかく作った作物を廃棄せざるを得ないことがある。このため、例えば、宮崎市田野町の**道本食品株式会社は、工場で乾燥野菜に加工して賞味期限を延ばすことで、農家から収穫ピーク時の野菜を買い取ろうとしている**[57]。このように同じモノでも対価をマイナスからプラスにすることで、廃棄物ではなくて資源にすることができることがわかる。

[表1-4] 地域資源の分類

固定資源 ・地域に固定されているもの ・地域内で活用、消費されるもの	地域特性資源	気 候 的 条 件	降水、光、温度、風、潮流 等
		地 理 的 条 件	地質、地勢、位置、陸水、海水 等
		人 間 的 条 件	人口の分布と構成 等
	自 然 資 源	原生的自然資源	原生林、自然草地、自然護岸 等
		二次的自然資源件	人工林、里山、農地 等
		野 生 生 物	希少種、身近な生物 等
		鉱 物 資 源	化石燃料、鉱物素材 等
		エネルギー資源	太陽光、風力 等
		水 資 源	地下水、表流水、湖沼、海洋 等
		環 境 総 体	風景、景観 等
	歴 史 的 資 源		遺跡、歴史的文化財、歴史的建造物、歴史的事件、郷土出身者 等
	文 化 ・ 社 会 資 源		伝統文化、芸能、民話、祭り、イベント、スポーツ 等
	人 工 施 設 資 源		構築物、構造物、家屋、市街地、街路、公園 等
	人 的 資 源	技 術 資 源	労働力、技能、技術、知的資源 等
		関 係 資 源	人脈、ネットワーク、相互信頼、ソーシャルキャピタル 等
	情 報 資 源		知恵、ノウハウ、電子情報、ブランド、評判、制度、ルール、愛着、誇り 等
流動資源 ・地域内で生産され、地域外でも活用、消費されるもの	資 金		現金、有価証券 等
	特 産 的 資 源		農・林・水・畜産物、同加工品、工業部品・組立製品 等
	中 間 生 産 物		間伐材、家畜糞尿、下草や落葉、産業廃棄物、一般廃棄物 等

出所：宮崎大学[58]

（8）地域マネジメントの考え方

　地域マネジメントの考え方は、図1-3の全体像を、関係者でマネジメント

しようという考え方である。例えば、民間の日立グループが、**本社とグルー**
プ企業がビジョンを共有し、連結決算で財務諸表を共有して経営しているよう
に、地域内の組織や人々が、地域内の自然と人、一次、二次、三次産業を一体
としてマネジメントすることを考えるのが地域マネジメントの考え方である。

　このような地域マネジメントは実行できるのであろうか？　地域が一体とな
って「価値」を感じてもらう財を世の中に提供し、地域で暮らす人々の生活に
貢献するようにし、人々の雇用と利益を確保し、地域で持続的に暮らせるよう
にすること、すなわち、地域マネジメントは実行可能なのであろうか？

　地域経済にマネジメントを応用することの重要性は理解できたとしても、誰
が実際に応用するのであろうか？　行政か？　地元の有力者か？　地元の有力
企業か？

　地域振興の中で、例えば、第3章で、地域マネジメントの重要な一部として
採り上げる観光地域マネジメントは、飲食、宿泊、交通といった狭義の観光業
だけでは実現することはできず、図1-3のように、飲食、宿泊、交通といっ
た観光客に直接のインターフェイス（Interface，境界、接触、橋渡し的領域）[59]を担
う人たちを窓口役にして、食品加工などの二次産業、農業、漁業などの一次産
業、地元コミュニティ、四季の自然を観光客に案内することまでをマネジメン
トして、地域からモノ・サービスを供給し、域外から雇用と利益を持続的に獲
得することが必要となる。

[図1-3]
地域経済の
全体像（再掲）

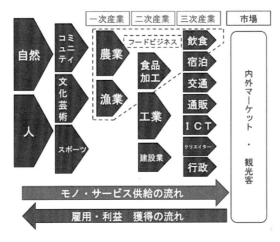

　地域マネジメントが難しいのは、地域に多くの企業、非営利組織、行政など
があり、地域としての魅力で人（若者、後継者、観光客、移住者など）を引き付けて
持続可能な状態で稼ぎ続ける全体のビジネスモデルを作ることと、企業、非営
利組織、行政など、それぞれの地域内の主体が単体として生きていくビジネス
モデルのすべての黒字化と持続可能性が必要だからである。しかし、「地域振
興」「地域活性化」という言葉を使っていたときは、事業や収支の細部まで深
く考えていなかった場合も多かった。一般論として、細部を深く考えずに行動
すると、持続的に成功することは難しい。

　民間企業の経営は、ビジョンを掲げ、経験から学び、マネジメントの理論や
手法を駆使しても、絶えず襲いかかる経済社会の変化の中で格闘することとな
る。地域マネジメントも、地域経済の持続可能性に向けて、ビジョンを掲げ、
経験から学び、マネジメントの理論や手法を駆使しても、絶えず襲いかかる経
済社会の変化の中で格闘することになる。ドラッカーも、心からのコミットメ
ント（結果を出すために責任を引き受けて深く関わること）なしには成功のしようもな
い[60]と指摘しているように、地域マネジメントを含む経営、マネジメントに
は、リーダーをはじめ関係者の覚悟、熱意も必要不可欠であると言える。

［注］
31）　小学館デジタル大辞泉
32）　内 閣 府 https://www5.cao.go.jp/j-j/wp/wp-je08/08b09010.html, https://www.esri.cao.
　　　go.jp/jp/sna/menu.html 　（2021/10/5取得）
33）　財 務 省, https://www.mof.go.jp/policy/budget/fiscal_condition/related_
　　　data/201910_00.pdf（p.4）
　　　https://www.mof.go.jp/policy/budget/budger_workflow/budget/fy2020/
　　　seifuan2019/04.pdf（p.12）（2021/10/5取得）
34）　日本銀行 https://www.boj.or.jp/statistics/dl/loan/prime/primeold.htm/, https://www.
　　　boj.or.jp/mopo/mpmdeci/state_2019/k191219a.htm/（2021/10/5取得）
35）　内 閣 府 https://www5.cao.go.jp/j-j/wp-we/wp-we99/sekaihakusho-99-31.html, https://
　　　www5.cao.go.jp/keizai3/2019/0207nk/pdf/n19_1_1.pdf（p.16）（2021/10/5取得）
36）　楠木（2012）(pp.29-35)
37）　加護野，吉村（2012）(p.33)
38）　加護野，吉村（2012）(pp.269-288)
39）　Drucker（1990）（ドラッカー（著）上田（訳）(2007)）
40）　Wikipedia（2018/10/17 06:42 UTC 版）

41）加護野，吉村（2012）（p.37）
42）加護野，吉村（2012）（p.33）
43）Drucker（1973）（ドラッカー（著），上田（訳）（2008）（p.92））
44）Drucker（1973）（ドラッカー（著），上田（訳）（2008）（p.100））
45）Drucker（1973）（ドラッカー（著），上田（訳）（2008）（p.134））
46）Drucker（1973）（ドラッカー（著），上田（訳）（2008）（pp.135-137））
47）Drucker（1973）（ドラッカー（著），上田（訳）（2008）（p140））
48）現代用語の基礎知識 2019
49）加護野，吉村（2012）（pp.281-286）
50）中小企業庁（2003）第Ⅲ章
51）日向市 http://www.hyugacity.jp/sp/display.php?cont=140317183128（2019/03/22取得）
52）株式会社一平ホールディングス https://ippei-holdings.com/　（2020/05/15取得）
53）https://www.mofa.go.jp/mofaj/gaiko/apec/index.html（2020/08/23取得）
54）藻谷，NHK 広島取材班（2013）
55）有斐閣 経済辞典 第 5 版
56）加護野，吉村（2012）（p.5）
57）道本食品株式会社 http://www.hinatazuke.co.jp　（2020/09/20取得）
58）宮崎大学（2015）（p.5）
59）現代用語の基礎知識 2019
60）Drucker（1990）（ドラッカー（著），上田（訳）（2007）（pp.7-8））

第1章の演習問題

　この第1章では、本書の中心的な概念である「地域マネジメント」を解説した。理解のために、以下の問題を考えてみよう。

1．いわゆる「地域振興、地域活性化」と「地域マネジメント」の違いは何か？

2．なぜ、経営学・マネジメントを勉強して地域マネジメントに取り組むと良いのか？

3．マネジメントは企業経営を中心としているが、他の組織も研究対象としている。その例は何か？

4．マネジメントの多段階性とは何か？

5．地域の範囲とは都道府県のことか？　それとも？

6．地域経済の全体像はどのようなもので、どのようにして地域は雇用や利益を得ているのか？

7．地域資源とは何か？　地域資源が資源となるための条件は何か？

第2章
地域マネジメントの実際

第 1 節 地域マネジメントの歴史的事例

「地域マネジメントは実行可能なのであろうか？」と問うたが、地域の範囲を、その目的に応じて、**市町村から国を超えた範囲まで柔軟に考えれば**、過去に**地域マネジメントを行った事例は多数ある。**

現存する世界最古の企業は、株式会社金剛組とされる。西暦578年創業で、日本最初の官寺である四天王寺の建立に携わった[1]。経営学は、20世紀初頭から始まった[2]比較的新しい学問であるが、経営学ができる以前から企業はあり、経営・マネジメントは存在した。同様に、地域マネジメントは、地域を持続可能とするための施策を経営学・マネジメントに学んで行おうとするものであるが、経営学ができる以前から、地域マネジメントは存在していた。まず、地域マネジメントの歴史的事例を見て、次に近年の事例を見ていこう。

（1）ローマ帝国

紀元前5世紀の共和制ローマに起源をもつローマ帝国の繁栄は、交易による富の蓄積と、それを奪いに来る蛮族に対する安全保障によって獲得したものと言える。低コストで安全保障を確保することが地域マネジメントの重要課題であり、その経営方針に従って対応した。蛮族との国境が複雑に入り組んでいると、小競り合いが多発したり、戦線が長くなって防衛にコストがかかったため、ドナウ川、ライン川等を利用した直線的で守りやすい国境とし、しかも、構造物による防御機構を施した防衛ライン（リメス）[3]を作り、防衛コストを最小化した。リメスとは、ローマ帝国の国境の、特に、柵、土塁、砦などで補強された長城の総称である。ライン、ドナウ以北には柵のリメスがおかれたが、カラカラ帝（在位 212-17年）のとき、石壁、土塁、および一部は溝に変えられた。ブリタニア（英国）のリメスはハドリアヌス長城として遺構がある。黒海地方、

[図2-1] ローマ帝国のリメス

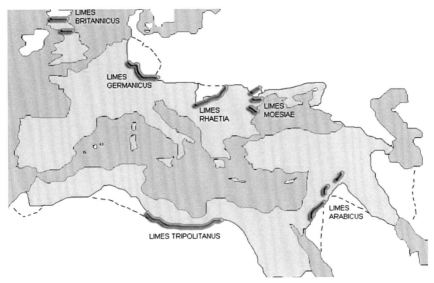

シリア、北アフリカにも様々のかたちでリメスが築かれ一部は遺構がある。

　リメス構築の方針の基礎を築いたのは英雄カエサル（英語読みシーザー Caesar）である[4]。

　軍団を複数持って各地に駐屯させると人件費などのコストが高くなるので、国中にローマ街道を作り、精鋭の軍団を蛮族との国境沿いに保持しておいて、紛争が起こると紛争地に迅速に送って対応する[5] ことで、軍団の総人数、保持コストを最小化した。ローマ街道は、古代ローマがその発展に伴って建設した道路網で、水道とともに古代ローマの技術の最大の遺産とされる。

　道路の建設は軍隊、物資の移動を容易にし、ローマの発展を助けた。ローマ街道の多くは直線道路で、石、煉瓦で舗装され、セメントも用いられた。排水溝もつけられ、土手も主な街道には整備された[6]。これらの対応でわかることは、複数の大きな軍団を分散して持つよりも、国中に街道を建設する方がコストが安かったということである。また、街道の目的が軍事、交易とはっきりしているので、どこからどこに街道を通すかの優先順位も明確であり、無駄な道を作ることを排除できたと考えられる。

[図2-2] ローマ街道

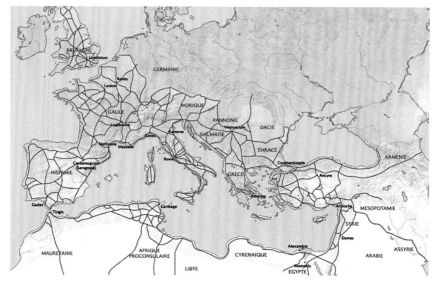

出所：wikimedia.org

　このような安全保障のマネジメントで成果を出した人材が歴代の皇帝に就いた。ローマが共和制から帝政に移行した理由の一つは、リーダーに権限を集中させた方が、マネジメントが効率的になるからであると考えられる。会社の取締役会が、議会の二大政党などのように激しく対立していたら、会社経営は困難となるであろう。組織にとって、マネジメントの効率性と、独裁によるデメリット排除のバランスは常に存在する課題である。

　交易による富の蓄積と安全保障確保をマネジメントして、住民が安全で豊かに暮らせるようにするという国、政府の経営方針は、世界中で、歴史の各時代で継承されていると言える。残念ながら、現代でも、戦争や侵略のニュースは世界で絶えることがない。天災は避けられないが、人間による戦争や侵略で国や地域が疲弊するのは切ない。

（2）仁徳天皇

　313年に即位したとされる仁徳天皇には「民のかまど」の逸話がある。その

内容は、民の生活が苦しくて、かまど（台所）から煙が立ち上らない間は免税して政府は節約し、民が豊かになった（かまどから煙が立ち上った）のを確認した後に税を復活させたという話である。マクロ経済学の財政政策のうち、徴税を厳しくしたり甘くしたりすることで景気の過熱や不況をコントロールする手法と同じ内容である。

　減税が地域経済を活性化する効果がある理由は、減税によって、地域の住民の生活が楽になり、衣食住などに以前より多くのお金を使うようになる。そうすると、農家、職人など様々な職業の人たちの収入が増える。そうすると彼らも必要なものを以前より多く買うようになる。例えば、農民はクワ、スキなどの農具、大工職人は大工道具などを買うようになる。そうすると、鍛冶屋さんや道具造りの職人さんも収入が増える。このように、減税の効果は、地元経済を順番に伝わっていって、結果として大きな経済活性化効果を持つ（マクロ経済学の乗数効果）。これらの理論の詳細は、第5章で解説する。

　近代社会で景気調整策をはじめとするマクロ経済学が理論化されるのは、1936年のケインズ（John Maynard Keynes）の『雇用・利子および貨幣の一般理論』[7] の発表まで待たなければならない。仁徳天皇の逸話は、先進的な地域マネジメントの事例であると考えられる。

（3）楽市楽座

　1549年以降、織田信長などの諸大名が楽市楽座を作ったとされる。楽市楽座とは、戦国・安土桃山時代に、大名が商人をその城下町に集めるため、旧来の独占的な特権を廃し、新規の商人にも自由な営業を認めた法令、政策である[8]。織田信長や上杉謙信などの戦国大名は、戦いでも有名であるが、領内の治安維持、農業振興や楽市楽座などの商業振興といった地域マネジメントでも知られている。

　軍事力を強くしようとすれば、兵を雇用し、武器を購入しなければならない。いずれもお金がかかる。農家から税を取るだけでは限界があるし、税を取りすぎると農家が弱って人口が減ったり、逃げて領地からいなくなったりしてしまう。農閑期（農作業が暇な時期）には農民に兵になってもらうことも多かっ

たので、農家が減ると国力が弱ってしまう。大きな富を生むのは昔から交易・商売であった。なぜ、交易・商売が富を生むかというと、地元でたくさん安く作れるが、よそではあまり作れない商品をよそで売ると高く売れるからである。これは、経済学の比較優位説という理論で、第5章で詳述する。交易・商売を盛んにして富を得るには、地元とは異なる得意技を持つ地域と交易・商売すると良いという理論が比較優位説である。そのことを理解して、織田信長はじめ、有力な戦国大名は、領地に港を確保して遠方の諸国との交易・商売を促進した。自動車が普及した現在でも、陸上交通で輸送するよりも海上交通で輸送する方が安く大量に運ぶことができる。明治時代以前では、物資の輸送は、海、川を使った船による輸送が主であった。日本や欧州に昔の運河の跡が多く残っているのはそのためである。織田信長が拠点とし、楽市楽座を置いた安土、岐阜ともに琵琶湖や川に面している。

　戦国時代は、国力の向上と軍事上の侵略、防衛が一体となった地域マネジメントを担うリーダーたちが、しのぎを削っていたと考えられる。

　このような地域マネジメントのマインドセット（意識、志）は、江戸時代の米沢藩（上杉家）、長州藩（毛利家）、薩摩藩（島津家）などの諸藩に継承されていき、江戸時代中期の藩政改革や、幕末の諸藩の行動に影響を与えている。

（4）江戸時代の諸藩

　1603年から1867年までの江戸時代は、平和な時代が長く続いたことと、藩が独立の地域マネジメントの主体であったことで、用水、干拓、開墾などの土木工事による先行投資で長期の農業収益を得る事業や、交易で利益が出る商品作物を作付ける事業などが行われた。江戸時代の諸藩は、加賀藩（前田家）、薩摩藩（島津家）などのように、現在の複数県にまたがる大藩から、市町村単位に相当する小藩まで、その大きさには多様性があった。共通することは、地方交付税制度などの地方政府を保護するセーフティネット政策がないので、上杉鷹山（1751-1822年）の藩政改革のような優れた地域マネジメントをしないと財政破綻し、お取り潰しになって公務員が失職する（武士が浪人になる）恐れがあった。その意味では、各藩で、地域マネジメントに責任をもって企画、実行する人材

が育成され、活躍したと考えられる。

　二宮尊徳（1787-1856年）は、小田原藩や栃木県真岡市の所領などの財政再建・農村復興の仕事が認められ、70歳の生涯を終えるまでに財政再建・農村復興の手ほどきを受けた地域は600か村に達したという。「**道徳なき経済は犯罪であり、経済なき道徳は寝言である**」という言葉を残した。現代の言葉で言えば、**ビジネスモデルが黒字にならない地域活性化は寝言だ**という厳しい指摘である。

　明治になって廃藩置県、中央集権が行われ、地方政府は自由と責任が少なくなり、成功したら中央に取られ、失敗したら中央から補填されるセーフティネット政策が施された。中央集権で日本全体の効率は上がり、セーフティネットで地方政府は安定したと考えられるが、地方のマネジメントは切迫さを欠いたものとなった。**地方が独立した藩政制度の下で、多彩な人材を各地で輩出した江戸時代**に比べて、地方で地域マネジメントの専門人材が育成されにくくなったと考えられる。

　米国、ドイツなどは地方政府が独立していて国に準じる強い権限を持つ連邦政府制度である。例えば、米国では州ごとに会社法などの法律が違っていて弁護士資格も州内限定である。日本も、社会をあまり変えずに近代化する道を選べば、連邦制の道もあったかもしれない。地方独立政府＝藩のメリットを捨ててまで、中央集権を目指さなければならないと、当時の日本の指導者が考えた背景は次節で述べる。

（5）明治維新、富国強兵、殖産興業と植民地

　1867年の大政奉還を経た明治維新、1872年からの富国強兵、殖産興業策は、**欧米列強に対抗して国の独立を守ること、そのために近代工業を興すことに主眼が置かれた**。

　東アジアで植民地化を免れたのは、日本とタイだけで、タイも、19〜20世紀初め、イギリス、フランスに東西から侵略され、国土の一部を失ったが緩衝地帯（大きな国に挟まれた国）として独立を維持したのであった[9]。中国は、アヘン戦争などの不条理な軍事圧力で、租界（上海などの外国人居留地）や香港やマカオ

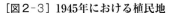
[図2-3] 1945年における植民地

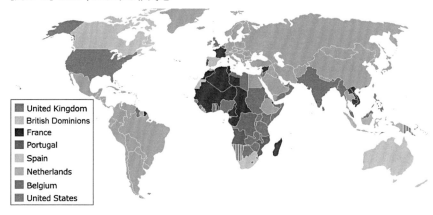

United Kingdom
British Dominions
France
Portugal
Spain
Netherlands
Belgium
United States

出所：wikimedia.org

注：北米・南米は、1776年アメリカ合衆国、1816年アルゼンチン独立など、欧州系
　　住民を主導とした独立が行われたため、1945年時点で植民地ではない。

などの植民地を作らされ、その後も抵抗を試みたが武力で半植民地化された。
1899-1901年、義和団事件が起きた。欧米列強の帝国主義的な進出に反抗し
て、義和団（宗教的秘密結社）を中心として民衆が抵抗した。義和団は、各国公
使館やキリスト教会を襲撃し、清朝政府の支持を受けて勢いがあったが、8か
国連合軍に鎮圧された。この結果、中国の植民地化がいっそう促進された[10]。

　16世紀のインカ帝国滅亡から20世紀初期までの間に、南北アメリカ大陸、ア
ジア、アフリカなど、地球上の土地すべての植民地化が残すところなく進ん
だ。この時代は、欧米諸国に**軍事的に対抗できなかった国・地域は植民地化さ
れた**か、または、形式的には独立を保ったが半植民地化された。その多くは、
抵抗を試みたが戦いに敗れて植民地化された。

　1945年の第二次世界大戦後、アジアの植民地は多くが独立したが、それは平
和的なものではなく、例えば、インドネシアは4年5か月、ベトナムは8年
間、それぞれ旧支配者のオランダ、フランスと戦い、**多数の犠牲者を出して独
立**した。

　インドネシアは、16世紀にポルトガル人が来航、1602年オランダ東インド会
社が設立され、ジャワを中心に勢力を拡大し、やがて全諸島がオランダの植民
地となった。20世紀初頭から民族独立運動が活発となり、第二次大戦中の日本

軍占領とオランダ政権崩壊を経て、1945年8月、独立を宣言した。その後、再支配・再植民地化を目指して軍隊を送ったオランダとの4年5か月、犠牲者80万人ともいわれる戦争を勝ち抜いて、1949年、独立を獲得した[11]。

　ベトナムは、フランスが1887-1945年領有したインドシナ植民地（現在のベトナム、カンボジア、ラオスおよび広州湾租借地＝仏領インドシナ）から、1945年9月、独立を宣言した。フランスは独立を認めず軍隊を送り、1946-54年、第一次インドシナ戦争（独立戦争）となった。戦局はラオス、カンボジアも含めて続き、中国の軍事援助を受けた旧北ベトナムが、米国の軍事援助を得たフランスに1954年に大勝し、ジュネーブ協定が成立して休戦した。その後は、1961-73年の自由主義国対社会主義国のベトナム戦争、1978年のベトナム・カンボジア戦争、1979年のクメール・ルージュによる国民の大量殺戮を伴うカンボジア内戦と中越戦争（中国対ベトナム）と戦争が続き、軍人、民間の犠牲者は数百万人以上とされる[12]。

　アフリカは1960年までほとんどが植民地であった。現在、深刻な問題となっている**人種差別問題**は、差別する側の、政治的経済的優位性を維持したいという欲望と、社会的、歴史的な人種的偏見によるとされ、米国や南アフリカなどでの国内問題中心から、非白人の植民地各国の独立によって、国際連合などの国際政治でも課題になった[13]とされる。

　植民地では、支配する国（東アジアではイギリス、フランス、オランダなど）に役立つ作物を作らされるなど自分たちの収入を上げることができず、生活は貧しかった。日本が明治維新に失敗して植民地になっていたら、1960年代まで、あるいはもっと長期間、他のアジア、アフリカの植民地と同様に、混乱し、虐げられ、貧しい暮らしだったかもしれない。16～20世紀初期においては、**植民地にされないことが、国、地域マネジメントの最重要課題**であったと言える。

（6）財政金融政策

　資本主義の副作用である激しい好不況、例えば、**1930年代の大恐慌**に対して、**1936年、ケインズ**によって、**有効需要・不完全雇用の概念、財政金融政策**（ケインズ政策）による景気調整策の有効性が発見、発明された。これ以降、自

由主義、資本主義の国では、不況のたびに財政金融政策が採られている。国範囲の地域マネジメントと言える。学問としては**マクロ経済学**になっている。

　不況のたびに対策が採られることは重要である。1930年代の大恐慌の結果、植民地を多く支配する国が、仲間の国だけで貿易をして生き残ろうとする経済のブロック化（仲間以外と貿易しないこと）を進めた。植民地や資源が少なくて生きていけない国が戦争手段に訴えて、結果として第二次世界大戦の一因となった。このように財政金融政策は必要である。もっとも、繰り返しの財政政策により、財政赤字が大きくなってマネジメントできなくなっている国もある。

　なお、ケインズは、著名な経済学者であるととともに、大学卒業時に上級公務員試験に合格して、イギリスの植民地であったインドを統治するインド省に勤務したり、途中、研究者歴を経て、大蔵省に勤務してパリ講和会議（1919年、第一次世界大戦後のドイツの賠償などを決めた）に大蔵省首席代表として参加したり、第二次世界大戦後は、IMF（国際通貨基金）の設立をはじめとする国際金融制度の構築に貢献するなど、実務経歴も華々しい。

（7）社会主義── 経済制度としての失敗と人類への貢献 ──

　資本主義経済が好不況を繰り返し、1930年代の大恐慌のようなデメリットが避けられないことに対して、**政府が経済を全面的に管理**すべきとの主張もなされ、1922年にソビエト社会主義共和国連邦が成立するなど社会主義国も現れた。大恐慌のような不況を起こさないことには成功したが、市場経済（マーケット・メカニズム）を使わないことによる不効率、働いても働かなくても収入が変わらないことによる個人のモチベーション維持の困難性などから、**中国では1978年から市場経済を採り入れ**（改革開放）、**1989年のベルリンの壁崩壊**から欧州の旧社会主義国が破綻し、**1991年にソビエト連邦が崩壊**した。

　ただし、1930年代以前の純粋な資本主義が持つ、弱肉強食の論理が行き過ぎることに起因する欠陥に対して、社会主義は様々な対応、政策を提起した。それらの政策は、世界各国で濃淡はありながらも活かされている。例えば、国、政府が買い上げたり、投資したりして経済に介入することによる**景気調整策**。強い交渉力を持つ企業に対して労働者を守る**労働法制**。金持ちから貧しい人に

[図2-4] 社会主義を経験した国

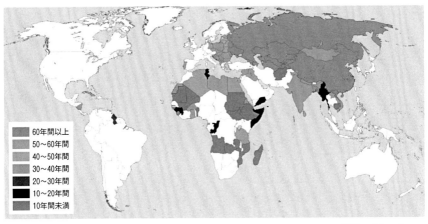

出所：wikimedia.org

政府が介在して所得を移転する累進課税、相続税や、生活保護制度などの**所得再配分政策**。受益者負担、保険機能と政府の介在を併せて国民全体の生活の安定を支援する**医療、年金などの公的保険制度**などがある。

　国による濃淡は、例えば、米国では、日本のような公的医療保険制度・セーフティネット政策はなく、労働者を即時解雇できるなど労働法制・運用も異なる。米国では、民主党は、貧しい層、非白人層を背景に、社会主義が問題提起したようなセーフティネット政策を支持し、逆に、共和党は、富裕層、白人層を背景に、低い税金、少ない支出を支持してセーフティネット政策に反対する構図が多い。日本では、2021年現在の大政党である自由民主党も立憲民主党も、生活に関しては、米国の政党の中では民主党に近い考え方で、逆に、米国の共和党のような低い税金、少ない支出、薄い福祉政策を支持する政党がほとんどない。この政治的構図が、「今の日本は、社会主義体制ではないけれども、実は社会主義が理想とした状態を作り上げているのではないか」と評されたり、日本の財政赤字が増加を続けている一因となっていると考えられる。

（8）傾斜生産方式

　1945年から1970年代までの日本の国を範囲とした地域マネジメントの優れた

事例としては、傾斜生産方式、国によるドル管理と、管理したドルによる戦略的な海外技術導入、輸出主導型産業振興策・産業政策などが挙げられる。

1946-49年の傾斜生産方式[14] とは、第二次大戦後の日本経済を緊急に回復するために内閣に置かれた経済安定本部が企画、実行した政策で、石炭・鉄・肥料など基礎的物資の生産を優先的に確保した上で、各部門の物資の生産を拡大しようとした[15]。まさに、マネジメントの発想で国の立て直しを図っている。

第二次世界大戦後の日本の復興の際に最も不足していたのは石油であった。日本は第二次世界大戦の前に石油輸入を止められており、戦時中は松の切り株から航空機燃料用の油を集めようとしたほど不足は深刻であった。戦後に得られた貴重な石油を、欲しい人に少しずつ配ったら、それぞれが使いきって終わりになる。そこで、少しずつ配るのではなく、鉄鋼生産に集中して（傾斜配分して）配った。そうすると、日本の復興に必要な鉄が供給され、また、鉄鋼会社はお金が入るので、人を雇用したり、石炭鉱業から石炭を買えるようになった。そのため、石炭鉱業が盛んになって人を雇用したり、石炭を増産したりできた。そうすると、鉄鋼業は石油でなく石炭を燃料源にして製鉄できるようになり、ますます雇用が増え、石炭をたくさん買って、鉄の供給量を増やした。鉄鋼業や炭鉱で雇用された人は、衣食住に必要なモノを購入する。それにより、衣食住の産業にお金が回り、雇用と生産が増えた。

これらのことは、最初に貴重な石油を、欲しい人に少しずつ配っていたら起きなかったことである。**最初に鉄鋼業にフォーカス（傾斜）することで、日本経済の歯車を再回転させることを企画して成功させた国レベルのマネジメント**であったと言える。

（9）戦略的な海外技術導入

国による外貨（ドル）管理と、管理した外貨による戦略的な海外技術導入は、**1949年制定の外国為替及び外国貿易管理法**により、輸出によって得た外貨を通産省（当時）が管理して行った。戦後、日本の各企業は、外国の優れた技術を購入して社業を発展させたかったが、技術の対価として外国企業に支払う外貨を、当時の日本は持っていなかった。そこで、通産省が各企業からヒアリング

をして、それぞれの企業が導入したい外国の技術の良し悪しを選別し、良さそうな技術を提案した企業に優先的に外貨を割り当てて海外技術の導入を支援する政策を行った。第二次世界大戦直後は日本から輸出できるものが少なかったので、外貨は貴重であった。戦後の日本の外貨不足は、1960年代半ばまで続いた[16]。外貨を増やすための初期の輸出奨励策は、輸出額の一定割合を企業にキャッシュバックして行ったという。

　そのようにして得た**貴重な外貨を、通産省が日本を発展させるであろうと選別した海外技術に集中投資**した。これもマネジメントの発想による政策と言える。その結果は、その後の輸出主導型の高度経済成長に結びついた。

　著者は、1988-90年、通産省生活産業局日用品課（当時）課長補佐として、佐々木硝子株式会社取締役会長（当時）の佐々木秀一氏から、輸出補助金の受取りの様子をうかがったことがある。佐々木氏によると「今の国の補助金は、事業の2分の1補助などが多く、補助金というよりも国と民間の共同事業だ。戦後の輸出補助金が本当の補助金だと思う。『輸出補助金がいただける』ということで通商産業大臣室に呼ばれ、部屋に入ると大臣室の応接のテーブルに筆と硯（すずり）が用意されていて、受取りに署名する。そうすると、紙幣がお豆腐のように束になっているのを見せられて、大臣から『輸出を良くがんばってくれました。引き続きよろしく』といったお言葉があり、お役人がお豆腐のような紙幣を風呂敷に包んで手ずから渡してくださった。こういうのが本当の補助金だ」とのことであった。

(10)　輸出主導型産業振興策・日本の産業政策

　輸出主導型産業振興策は、産業が少ない国に産業を興すときに、輸出する企業を作ることから始める産業政策である。対比される概念は、輸入代替型産業振興策で、海外品を輸入している場合に、国産に置き換える企業を作ることから始める産業政策である。輸出主導型産業振興策は、日本をはじめ、1970年代に NIEs（Newly Industrializing Economies, 新興工業国）と呼ばれた香港、シンガポール、大韓民国、台湾、そのあとを追った**マレーシア、タイなど東アジアの国で採用されて成功した。**

　日本を先頭に、東アジア内で、労働集約的な産業が次々に平均賃金が低い国に移転することにより、各国が成長し、順次豊かになっていくさまは、渡り鳥の雁のＶ字型飛行にたとえられ「雁行型発展モデル」と呼ばれた。輸出企業は初めから世界市場での競争に参入するので生産性が高く、市場が大きいので発展もしやすい。当初は部品を海外から輸入しないと製造できないが、次第に国内に"すそ野産業"が育ち、そのことが国の産業力を上げていく。

　すそ野産業（Supporting industry）とは、例えば、自動車やスマートフォンなどの最終製品を作る製造業に対して、多種多様な部品・部材を供給する地元企業全体のことをいう。

　輸出主導型産業振興策が成功した事例の意味することは、都道府県、市町村レベルの工業集積にも適用できる。域外への移出をする中核企業がいることで、すそ野企業が転入してきたり、起業したりして地元の工業集積が強く、大きくなる。よく「企業誘致をしても、いずれ海外などに出ていくのでムダだ」といった議論がなされるが、その議論では"すそ野産業が育つ"という点を見逃している。すそ野産業は、中核企業が海外移転しても、自身が追随して海外工場を作ったり、国内の他社に新規営業をしたりして生き残ることも多く、これらの企業は地元に雇用と利益を獲得し続ける。これらの企業に地元の若者が就職して、世界に通用するモノづくりができる人材が地元で育成され続ける。すそ野産業があることで、新たな中核企業を誘致することが可能となる効果もある。

　宮崎県などの地方では、ＩＴ企業の事業所の誘致・進出が進んでいる。例えば、宮崎県の2015年の企業誘致は過去最高の47件で、うち、情報サービス業の立地件数は20件であった[17]。首都圏、関西圏では人材の確保が難しくなっていることや、インターネットの発達、電気通信回線のコストダウン・大容量化などの技術進歩から、地方でも仕事ができる環境が整ってきている。そうであれば、地方に住んで仕事をした方が、余暇や子育てなどの生活が充実すると考える人たちが増えているからである。これらのＩＴ企業の多くは、首都圏で受注して、首都圏と地方の事業所でシステム開発などを行い、首都圏に納品するなど、域外に移出することで地方の雇用を生み出している。

　1982年に出版された『通産省と日本の奇跡』という本[18]がある。この本は

1980年代に日本の製造業の世界競争力が絶頂に達したときに、1945-80年代の日本の産業政策が海外で評価され、その要因を、米国の経営学者が、誤解も含めて通産省に求めた、その時代の読み物と考えられる。1945年から80年代までの日本の国範囲での地域マネジメント、産業政策に優れた点が多くあったことや、海外の人も**日本の産業政策**のノウハウを知りたかったという事実が、この本が生まれた背景にあったと考えられる。

　日本の製造業と産業政策の成功は、**米国政府の産業政策を刺激**し、テキサス州のオースチンの産学連携を米国連邦政府が支援した政策の立案などに影響を与えている[19)]。また、米国企業にも刺激を与え、ラジオ体操や改善活動などの日本企業の経営ノウハウを導入する米国企業もあった。

(11)　輸入代替型産業振興策 —— 失敗事例として ——

　輸入代替型産業振興策は、インドやブラジルなどで、かつて採られたが失敗している。輸入代替企業は、関税保護により国策で作られることが多く、生産性が低く、市場が限られるので発展もしなかった。

　この事例の意味することは、都道府県、市町村レベルの政策にも適用できる。よく「地域でお金を回そう。域外から買わないで地元の資源を使おう」という議論がなされるが、域外のモノよりも**生産性が悪くて値段が高い地元のモノを無理に使おうとしても同様に失敗**するであろう。現実には、地域は国と異なり、関税で保護したり、高くても買うなどは難しいので、「地域でお金を回そう。域外から買わないで地元の資源を使おう」は、輸送費を考えると地元のモノの方が安い場合や、流通の慣行で安い地元のモノを使っていなかった場合など、採算がとれる範囲で地元のモノを使おうという意味になり、このような範囲であれば有意義と言える。

　海士町の山内道雄前町長は「地産地商」と、消ではなく商の字を使い、地域資源に付加価値を付けて域外市場で高く売って域内に雇用と利益を生むことを重視した。輸入代替型産業振興策ではなく、輸出主導型産業振興策を指向して成功したと言える。

（12）保護貿易主義 ── 失敗事例として ──

　重商主義も失敗した。重商主義とは、15世紀半ばから18世紀半ばにヨーロッパ諸国家が採った、国家の保護・干渉によって有利な貿易差額を取得し、貴金属や貨幣を蓄積することが国富の増大だという考え方[20]である。貿易の本当の利益は、各人や各国の得意不得意を交換することによる世界全体の効率向上によって得られる効用の増加であって、自由貿易によって最大の効用が得られるというのがミクロ経済学・価格理論の比較優位説などが教えるところである。第5章で詳述する。

　経済学の効用（Utility）とは、消費者が財やサービスの消費から得る満足をいう。経済理論においては、消費者は、一定の予算制約のもとで、各自の主観的判断に基づき総効用を最大にするように、各種財・サービスの間に支出を配分するものと仮定される[21]。

　現在も存在する**保護貿易主義**（貿易黒字国に輸出規制や工場の海外移転を求めたり、輸入禁止したりするなど）は、重商主義と同様の考え方で、自由貿易を歪（ゆが）めるものであり、全体の利益は損なわれる。したがって、自国の利益も失われることが多い。また、マクロ経済学では、貿易収支の赤字・黒字は以下のように説明できる[22]。

　一つの国で生産したモノと輸入したモノは、国内で支出（消費＋投資＋政府支出）するか、海外に輸出するかである。よって、

　　GDP ＋輸入＝消費＋投資＋政府支出＋輸出　　の式は必ず成り立つ。

　式を変形すると、

　　GDP ＝内需（消費＋投資＋政府支出）＋外需（輸出−輸入）

　　外需（輸出−輸入）＝ GDP −内需　　となる。

　　貿易黒字の場合、外需（輸出−輸入）＞0　　よって、GDP ＞内需

　　貿易赤字の場合、外需（輸出−輸入）＜0　　よって、GDP ＜内需

　上述の定義と式の変形からわかることは、内需が活発でGDPより大きくな

ると貿易赤字となり、逆に内需が弱い場合は貿易黒字になる。**内需が活発で貿易赤字であるときに、その国や地域が衰退すると単純に結論づけることはできない。また、貿易収支が黒字なら国や地域が栄えると判断することもできない。**重商主義、保護主義の誤りの原因は、貿易収支の黒字・赤字を、家計簿や企業の黒字・赤字と同じようなものと考えていることに起因すると考えられる。

　この事例の意味することは、都道府県、市町村レベルの政策にも適用できる。域内・域外の移出・移入の数字を見て、移出が少なく、移入が多いので赤字であるとしても、**移出入の差の赤字が地元の衰退の原因であるなどネガティブなことだと考えるのは誤りであり意味がない。移出入の差が黒字であることを良いと考えることも同様に誤りであり意味がない**と経済学は教えている。国全体の需要や生産を扱うマクロ経済学は第5章で紹介する。

コラム3

生産性と所得

　上記のような地元の豊かさについての現状や対策を考えようという問題意識に関しては、移出入の差額に着目するのではなくて、**地元の産業の付加価値や生産性**がどうなのかを検証することが有意義である。なぜなら、生産性が高ければ一人当たりの所得は高く、低ければ低くなるからである。

　従業員の一人当たりの収入は、一人当たり付加価値（労働生産性）が大きいほど大きく、企業が投資や内部留保にあまりお金を回さないで、従業員に配るお金の比率（労働分配率）を増やせば大きくなる。このことが正しいことは、下記の分数式で確認できる。ただし、労働分配率を増やすことには限界がある。なぜなら、投資をしなければ企業の将来はないし、内部留保が少なければ不況が来たときに倒産しやすい。したがって、**従業員の一人当たりの収入（所得）は、概ね、一人当たり付加価値（労働生産性）に比例する**と言える。

$$従業員の一人当たりの収入 = \frac{給与総額}{従業員数}$$

$$労働生産性 = \frac{付加価値}{従業員数}$$

$$労働分配率 = \frac{給与総額}{付加価値}$$

$$\text{従業員の一人当たりの収入} \ = \ \text{労働生産性} \ \times \ \text{労働分配率}$$

$$\text{なぜならば、}\ \frac{\text{給与総額}}{\text{従業員数}} \ = \ \frac{\text{付加価値}}{\text{従業員数}} \ \times \ \frac{\text{給与総額}}{\text{付加価値}}$$

　GDP（国内総生産）の定義は、国内に所在する企業、政府、非営利組織など
が創り出した付加価値の総計である[23] ので、**一人当たり GDP は、概ね、そ
の国の平均収入**となる。
　地域でも、一人当たり域内総生産は、概ね、その地域の平均収入（例えば、
一人当たり県民所得など）となる。

（13）全国総合開発計画

　1962年からの全国総合開発計画、新産業都市建設促進法、1972年の日本列
島改造論などは、日本全国に道路や港を作り、四大工業地帯から地方工業地
域へ工場を分散させて、東京と地方の格差を是正することを狙った。また、工
場三法が制定され、都市から地方への工場等の移転が促進された。すなわち、
①都市部で工場、大学等の新設等を制限する「首都圏の既成市街地における
工業等の制限に関する法律」(1959年)、「近畿圏の既成都市区域における工場等
の制限に関する法律」(1964年)（両法を「**工場等制限法**」と総称）、②工業が集積し
た地域から集積が低い地域への工場移転を支援する「**工業再配置促進法**」(1972
年)、③企業の負担で緑地整備などを義務づける「**工場立地法**」(1973年) が制定
され、**首都圏、関西圏の産業を、国として抑制する政策**が採られた。
　これらの施策は、地方の港に隣接した工業団地に重工業を立地させることが
うまくいった時代は成功したが、日本の重工業の国際競争力が失われるととも
に、立地の悪い計画地は廃れていった。日本の重工業の国際競争力が失われた
主要因は、日本の経済発展による人件費の上昇と円高によって、途上国の重工
業に価格競争で負けたことである。
　著者は、1986-87年、通産省基礎産業局非鉄金属課（当時）係長として、日本
のアルミ精錬業の撤退、産業としての消滅を身近に経験した。当時の日本のア

［図2-5］全国総合開発計画に基づく臨海工業地帯

出所：国土交通省[24]

ルミ精錬工場は、世界最先端の生産効率を誇っていたが、1986年の円高と、石油産油国が余剰の原油で発電をして安価にアルミを製錬する事業などに押されて、水力発電所を社内に保有する1社を除いて、他社は、真新しい新鋭工場も含めて事業撤退した。

　現在の日本に残っている重工業は、例えば、薄くて強い自動車鋼板など、途上国では製造できない高品質、高価格の製品である。

　全国総合開発計画や首都圏、関西圏の産業抑制政策は、国内の平等な発展を実現させようという発想であった。しかし、地図上に絵や計画を描いても、立地する企業のマネジメントまでを考える発想がなければ、地方の工場団地は売れず、企業は都市周辺や海外に工場を作ってしまい、工場団地造成の費用は借金として地方に残ってしまう。

　2000年以降の地方自治体による工業団地造成は、例えば、島根県斐川町（現出雲市）、岩手県北上市のように、**企業立地を見込みながら、必要なだけの工業団地を必要なタイミングで造成し、投資・在庫に伴う利子負担を負わないように工業団地を造成する方針に変化していく**[25]。地方における開発、工場団地の

育成などにも、マネジメントの考え方が必要であることが理解されていったと言える。

　[推薦図書5] 市町村産業振興研究会（2003）『市町村のための産業振興のポイント』ぎょうせい

［注］
1)　株式会社金剛組 https://www.kongogumi.co.jp/　（2020/09/14取得）
2)　加護野，吉村（2012）（p.33）
3)　ブリタニカ国際大百科事典 小項目事典
4)　塩野（1997）（pp.179-210）
5)　塩野（2001）（pp.87-88）
6)　ブリタニカ国際大百科事典 小項目事典
7)　Keynes（1936）
8)　広辞苑 第七版
9)　平凡社百科事典マイペディア
10)　旺文社日本史事典
11)　平凡社百科事典マイペディア、岡山県インドネシアビジネスサポートデスク
12)　平凡社百科事典マイペディア
13)　ブリタニカ国際大百科事典
14)　地域経済ラボラトリ https://region-labo.com/term/priority-production-system/　（2020/08/30取得）
15)　広辞苑 第七版
16)　内閣府（2019）第3章 第1節
17)　宮崎県（2016）（p.9）
18)　Johnson（1982）
19)　Gibson（1994）
20)　広辞苑 第七版
21)　有斐閣 経済辞典 第5版
22)　伊藤（2015）（pp.259-261）
23)　有斐閣 経済辞典 第5版
24)　https://www.mlit.go.jp/common/001020274.pdf　（2020/05/29取得）
25)　市町村産業振興研究会（2003）（pp.20-27）衆議院（2007）

第**2**節 近年の地域マネジメントの事例

（1）地方の時代、一村一品運動

　近年の日本の地域振興策の歴史は、1970年代後半から80年代にかけて「地方の時代」（長洲ーニ神奈川県知事（当時））や「一村一品運動」（平松守彦大分県知事（当時））が提唱され、様々な試みが行われた[26]とされる。平松氏は、通産省 OB で、著者が1984年に通産省に入省した際に、初任者研修で講義を受け、直接、一村一品運動の取組みと、考え方を教わった。

　神奈川県は、長洲知事（当時）の下で、都道府県の中で最も早く1978年から産業政策と科学技術政策に取り組んだ。その動機は、第一に、石油危機後の失業問題、第二に、地元の重化学工業の衰退、第三に国からおりてくる全国画一の政策にただ従うのではなく、自らが政策主体になる必要があると考えたという。

　1981年に総合産業政策委員会を発足させ、産業政策と、環境、住工混在などの都市計画、住宅政策、福祉政策との整合性をとりながら、1989年のかながわ新産業プランを作成した。

　しかし、当時の神奈川県庁の商工担当部署は、国からの差し金もあって、産業政策づくりに否定的、消極的で、人事、人材育成による実務体制の再構築から始める必要があった。長い中央集権体制の中で、県庁職員は政策づくりに未経験で、地方自治体は有効な政策手段をもっておらず、地元の企業も自治体の政策に関心を示さず、国、通産省の情報と政策を頼りにしていたといった困難が当時あった。そのような困難を乗り越えて、1989年、ベンチャー企業や、大企業や外資系企業の研究開発部門を入居させる「かながわサイエンスパーク」を開設した[27]としている。

　特産品づくりを中心とした「一村一品運動」や「村おこし」は一種のブームとなり、全国の自治体のうち7割が何らかのかたちで、一村一品の「地域おこし」に取り組んでいた。それらの事業の中から、北海道池田町の「十勝ワイン」や大分県の麦焼酎のように地域の新たな顔となり、地域経済に貢献する特産品が開発された成功例もある。しかし、「一村一品運動」の成果物で成熟度の高い、特徴ある商品は全体から見ると多くはない[28]としている。

　なお、平松知事（当時）は、海外でも評価されて名声があり、その地域振興の取組みは、アジアの途上国（当時）などに影響を与えている[29]。

（2）リゾート法、ふるさと創生事業 —— 疑問のある事例として ——

　1987年制定の総合保養地域整備法（リゾート法）では、日本の各地にリゾートホテルやゴルフ場などが建設され、2000年までは、箱物に代表される施設づくり、観光イベントづくり、特産品のものづくりに集中していた。しかし、その多くはバブル崩壊によって経営破綻した。そのため、**2000年以降**は、ハードからソフトへの大きな転換があり、ひこにゃん、くまモンに代表される「**ゆるキャラ**」、ご当地アイドル、ご当地ヒーロー、街コン、B級グルメ等が流行した[30]。

　リゾート法が制定されて、観光を基幹産業にと望む都道府県、市町村が観光・リゾート施設建設や誘致に躍起になった。バブル崩壊後、第三セクターの安易な事業計画とずさんな経営による経営破綻が全国各地で問題視された。第三セクターが母体になっている観光・リゾート施設の多くが赤字の現状に陥った。

　運営する第三セクターの問題点としては、**先を見越した経営が行われていなかった**。減価償却、メンテナンス費用の計算、計画がなかった。**投資に関わった政治家、行政、民間出資者も、次世代までの事業継続性を深く考えず、**雇用対策、町おこしといった**安易さがうかがえるものだった**[31]と指摘されている。まさに、マネジメントの考え方がなければ、お金を投じた事業が、どのような帰結になるかを示していると言える。

　ふるさと創生事業（1988-89年）は、地域振興を目的に全国3000超の市町村に一律1億円が交付された。当時の竹下登内閣による地方創生政策で、使い道は

自由。新たな地域の目玉を求め、温泉掘削など誘客のテコ入れに使う自治体が相次ぎ、村営キャバレーや日本一長い滑り台などの珍事業も乱立した[32]」とされる。

（3）産学官民連携

　1990年代後半から2000年ころ、日米はじめ先進国で、IBM、ゼロックスや日本の電機メーカー各社など、**従来の大企業の経営が悪化**した。日本では、多くの下請企業が、力の落ちた大企業から安定的な取引を停止され、競争入札調達に変更されるなど、**従来の濃密な下請関係が壊れていった**。2000年ころは、首都圏でも、例えば、大手自動車会社の経営が悪化して多くの下請企業が契約を切られるなど、従来の下請企業を中心に産業の衰退が著しかった。

　先行きが暗い中で、**シリコンバレーに代表される産学官民連携**によるイノベーションが注目され、下請として培った技術で中小企業が新製品開発や新規市場への参入に挑戦することが注目された。

　このような時代背景の中で、1987年に発足した岩手ネットワークシステム、1998年発足のTAMA産業活性化協議会、2001年からの経済産業省（以下「経産省」）の産業クラスター計画、文部科学省の知的クラスターによる支援、2003年からの関西ネットワークシステムなど、地域における**産学官民連携のコミュニティ**が各地に設立され、イノベーションに挑戦する中堅中小企業を支援する試みがなされた。

　2000年ころ、首都圏、関西圏でも産業が衰退したことを背景に、1960年ころに制定された**国による首都圏、関西圏の産業抑制政策**に対して、**首都圏、関西圏の自治体から是正を強く求める動き**が出た。その結果、国も方針を転換し、「首都圏の既成市街地における工業等の制限に関する法律」（1959年）、「近畿圏の既成都市区域における工場等の制限に関する法律」（1964年）は2002年に廃止され、「工業再配置促進法」（1972年）は2006年に廃止された。

　2001年からの経産省の**産業クラスター計画**、文部科学省の**知的クラスター**は、1960年代以降初の、国による首都圏、関西圏も対象とした地域産業政策となった。それまでは、例えば、1983年からの通産省（現経済産業省）の高度技術

[表2-1] 日本の主な産学官民コミュニティとその設立年

設立年	産学官民コミュニティ名
1987年	INS（岩手ネットワークシステム）（活動開始）
1992年	INS（岩手ネットワークシステム）（会として発足）
1998年	TAMA産業活性化協議会（2001年に社団法人化し、（一社）首都圏産業活性化協会）
2001年	北海道中小企業家同友会産学官連携研究会（HoPE） NPO法人北関東産学官連携研究会
2002年	信州スマートデバイスクラスター（旧長野・上田スマートデバイスクラスター） 九州広域クラスター（システムLSI設計開発拠点の形成）
2003年	KNS（関西ネットワークシステム） 広島5：01クラブ（中国地域ニュービジネス協議会） 飯塚（e-ZUKA）TRY VALLEY構想（産学官交流研究会） 函館マリンバイオクラスター
2004年	ひたちものづくりサロン（HMS） なかネットワークシステム（NNS） やまなし産業情報交流ネットワーク（IIEN.Y） 福岡中小起業家同友会福岡地区産学官連携部会（FAST） 新都心イブニングサロン
2005年	（公社）いわき産学官ネットワーク協会（ICSN） とっとりネットワークシステム（TNS） ひろさき産学官連携フォーラム
2006年	全国異業種グループネットワークフォーラム（INF）
2010年	とちぎ未来ネットワーク（FTN）
2011年	とかちネット
2012年	土佐まるごと社中（TMS） 梅田MAG 宮崎県中小企業家同友会産学官民連携部会（MANGO）

出所：吉田（2019a）

工業集積地域開発促進法（通称「テクノポリス法」）は、首都圏、関西圏を対象としていないなど、国の地域産業活性化策から首都圏、関西圏は除外されていた。

（4）特長ある地域マネジメントの市町村

　2001年、上士幌町の竹中貢町長が就任し、2002年、海士町の山内道雄前町長

が就任してからの地域マネジメントは先述した。観光地域マネジメントで著名な高山市（岐阜県）、由布市（大分県）、直島町（香川県）の事例は、第3章で後述する。

　他にも、**島根県旧斐川町、徳島県上勝町、神山町、高知県馬路村**などが、特長ある地域マネジメントの市町村として知られている。

　例えば、馬路村は、天然杉を切り出す林業の衰退により、営林署の廃止、林業関係者の失職で大幅な人口流出が起きた。馬路村の歴史[33] は、1157年、保元の乱に敗れた平隆長が馬路へ隠れ住んだことに始まるとされる。馬路村魚梁瀬の千本山保護林は、樹齢200〜300年、直径2メートル、樹高50メートルの天然のヤナセスギが生息しており、1907（明治40）〜1963（昭和38）年まで森林鉄道があるなど、林業で村は栄えた。しかし、輸入木材に押されて、1979年、馬路営林署廃止、1999年、魚梁瀬営林署廃止など、村の林業は衰退した。

　東谷望史氏（1952年生）は、1973年、馬路村農業協同組合に入社し、「1980年から農協のゆずの販路開拓に全国を這い回る。10年経過後、柚子産地として生き残れるのではないかと思うようになる。村の人からは変わり者としか思われていなかった。その活動は1人のバカによって人口1140人の村が変わりはじめる[34]」と、自ら述べている。地元に仕事を作り、人口減少を食い止めることを目標として、ゆず栽培、ゆず加工品の栽培、地元食レストラン、宿泊施設の経営など[35] で成果を挙げ、2006年、馬路村農業協同組合代表理事組合長となった[36]。温泉のある宿泊施設は、渓流沿いの自然豊かな立地で、関西などからの来客が多いという。林業以外の産業がなかった馬路村に、農協職員として「ゆず加工業」を起こし、全国に販売し、村に雇用と利益（2010年売上32億円）をもたらしたと、[推薦図書6] の著作、動画等にあるように評価されている。

　ただし、一般に、地域活性化事業が成功するということは、地元に企業体ができるということである。馬路村の場合は、馬路村農協がそれに当たる。馬路村は林業の村だったので農協はなかった。農協という組織体でベンチャー事業を起こしたのが実態であった。企業は、起業に成功して黒字化し、累積赤字も解消したら成功と言えるが、成功したあとも、経済環境の変化に対応して赤字を出さないように経営していく努力は永遠に続く。馬路村農協も、お歳暮、お中元市場の縮小など経済環境の変化への対応は、日々年々続いている。

[写真2-1]　馬路村の観光案内図

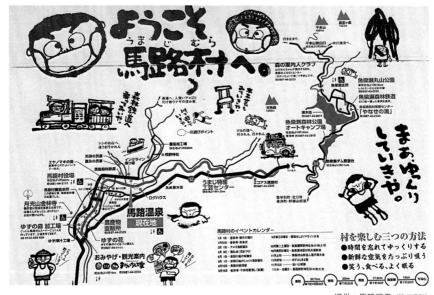

提供：馬路温泉（筆者撮影）

注：イラストのキャラクターは、東谷氏がゆずのマーケティングで
長年起用しているクリエイターの作。

[推薦図書6]　大歳昌彦（1998）『ごっくん馬路村の村おこし』日本経済新聞社

　　地域づくりTV　東谷 望史「馬路村ブランドで、地域を活性化」

　　https://www.youtube.com/watch?v=FBTdkakSipw　（2017/01/03取得）

（5）近年の国の地域活性化策

（5）-1　ふるさと納税

　2008年から始まったふるさと納税は、ふるさとや応援したい自治体へ寄付をした個人や法人の納税額を軽減する制度で、寄付税制の一種である。寄付先の地方自治体から返礼品として高級和牛、温泉宿泊券などの特産品や特典をもらえることもあるため人気が出た[37]。上士幌町が試行錯誤していた地元商品開発

が、ふるさと納税のおかげでブレークスルー（breakthrough, それまで障壁となっていた事象を突破して前進すること）できたことは、第1章で述べた。

（5）- 2　地方創生事業
2014年、まち・ひと・しごと創生本部による**地方創生事業**が開始された[38]。主な考え方は以下のとおりである。

〔まち・ひと・しごと創生長期ビジョン〕（2014年12月27日）[39]

1．人口減少と地域経済縮小の克服
　我が国は、2008年をピークとして人口減少局面に入っている。今後、2100年には5,000万人を切る推計がある（p.3）。地方と東京圏の経済格差拡大等が、若い世代の地方からの流出と東京圏への一極集中を招いている。首都圏への人口集中度が約3割（東京都、埼玉県、千葉県及び神奈川県の一都三県の数値）という実態は、諸外国に比べても高い（p.4）。地方の若い世代が、**過密で出生率が極めて低い東京圏をはじめとする大都市部に流出する**ことにより、**日本全体としての少子化、人口減少につながっている**（pp.5-6）。

　人口減少への対応に3つの視点から取り組む（pp.8-9）。

①「東京一極集中」を是正する。
　地方から東京圏への人口流出に歯止めをかけ、**「東京一極集中」を是正**するため、「しごとの創生」と「ひとの創生」の好循環を実現するとともに、東京圏の活力の維持・向上を図りつつ、過密化・人口集中を軽減し、快適かつ安全・安心な環境を実現する。

②若い世代の就労・結婚・子育ての希望を実現する。
　人口減少を克服するために、若い世代が安心して就労し、希望通り**結婚し、妊娠・出産・子育てができるような社会経済環境**を実現する。

③地域の特性に即して地域課題を解決する。
　人口減少に伴う地域の変化に柔軟に対応し、中山間地域をはじめ地域が直面する課題を解決し、地域の中において安全・安心で心豊かな生活が将来にわたって確保されるようにする。

[推薦図書7] 内閣官房（2014）『まち・ひと・しごと創生長期ビジョン ── 国民の「認識の共有」と「未来への選択」を目指して ──』内閣官房まち・ひと・しごと創生本部事務局

[注]

26）炭谷（2015）
27）久保（2006）(p.132)(p.134)(pp.139-140)
28）炭谷（2015）
29）Philips（2009）(p.12)
30）炭谷（2015）
31）三橋（2002）(pp.149-166)
32）日本経済新聞 https://www.nikkei.com/article/DGXMZO44218350V20C19A4000000/ (2020/06/04取得)
33）馬路村ふるさとセンターホームページ http://umajimura.jp/　(2017/01/03取得)
34）東谷 望史ブログ http://d.hatena.ne.jp/moti-toutani/　(2017/01/03取得)
35）馬路村ふるさとセンターホームページ http://umajimura.jp/　(2017/01/03取得)
36）地域づくり TV　東谷 望史「馬路村ブランドで、地域を活性化」
https://www.youtube.com/watch?v=FBTdkakSipw (2017/01/03取得)
37）小学館　日本大百科全書
38）https://www.kantei.go.jp/jp/singi/sousei/meeting_index.html#sousei　(2020/06/04取得)
39）内閣官房（2014）

第**3**節 岩切章太郎の地域マネジメント
―特筆すべき事例として―

（1）岩切章太郎の生涯

　岩切章太郎氏は、1893（明治26）年、宮崎市生まれで、1894年生まれの松下幸之助氏と同世代である。旧制宮崎中学校（現在の宮崎大宮高校）から、旧制第一高等学校、旧制東京帝国大学法科大学政治学科（現在の東京大学法学部政治コース）に入学した。岩切家の家業は呉服屋、関西との帆船での運送で、岩切氏の父 與平は、宮崎軽便鉄道（1913年、南宮崎―内海で開業。1962年に廃止され、1963年、一部ルート変更をして現在の JR 九州日南線が開業）の建設などに尽力したという[40]。

　高等小学校のときに、宮崎農学校に講演に来た新渡戸稲造氏の講演を聴き、人は自分が適した仕事をするのが良く、中央で働くのに適した人は中央で働き、地方で働くのが良いと思う人は地方に帰って働くのが良いのではないかと考えるきっかけになったという[41]。岩切氏が大学３年のとき、宮崎県知事から神奈川県知事に異動していた有吉忠一氏を訪ね、その会話の中で、地方に帰って働くこと、民間と公（パブリック）の境目の仕事をすることなど、後の岩切氏の仕事を行うに当たっての基本的な考え方を表明している[42]。大学卒業後は、「３年間仕事を学んで宮崎に帰るつもりである」と表明して住友本社に採用され、実際に３年半後に宮崎に帰郷した[43]。

　岩切氏の事業活動を追っていくと、まず、地元の依頼により、1926（大正15）年、バス会社を設立した[44]。1931（昭和６）年、38歳のときに遊覧バス事業を始め、成功させた[45]。岩切氏は、観光に関して、私は観光バスを始めたことによって、はじめて観光界に乗り出した[46]。お客さんが「また来たいと思っていただく」という一点に集中して努力したい[47]と考えた。同じ、1931年、請われ

て地元の銀行の救済に乗り出し、翌1932年には甲斐なく銀行が倒産し、混乱を収めて整理が終了するまでの６年間、銀行整理のために全精力を使った。その苦しいときに、お坊さんから授けられ、心の支えとなったのが「心配するな工夫せよ」という座右の銘であったという[48]。意味としては、心配しても、ものごとは解決しないばかりか、心配ごとが頭から離れないことが自分の心を蝕んで、ひどくなれば心を病んでしまう。覚悟を決めれば心配はなくなる。よって、心配するな。ただし、覚悟を決めて心配しないだけでは、ものごとは解決しない。心を平穏に保ちながら、事態を解決する工夫は全身全力でせよ。といった教えである。

　慶應義塾大学の安宅和人教授は、生産性を高くするためには、悩まない。悩んでいるヒマがあれば考えることが大事である。悩むとは、答えが出ない前提のもとに考えるフリをすること、考えるとは、答えが出る前提のもとに建設的に考えを組み立てること。悩まないというのは、僕が仕事上でもっとも大事にしている信念だ[49]としている。「心配するな　工夫せよ」のような仏教観はないが、意味は相通じるものがある。

　地方の現場では、「利害関係が複雑で決められないんです」といった話もよく出るが、地域として悩んだり迷ったりしているということは、考えていない状態であり、生産性はゼロである。岩切氏が、地元の厳しい環境の中で"工夫"に精力を注いだ故事に見習いたい。

　コラム３で、生産性と所得は比例するので、生産性を上げることが地方の所得を上げることだと解説した。安宅教授の『イシューからはじめよ ──知的生産の「シンプルな本質」──』は、生産性を上げる着想法や方法論を解説している。

　岩切氏が銀行整理をした後、1985（昭和60）年、92歳で没するまでの宮崎交通の経営と観光事業の展開については後述する。

（２）岩切章太郎の地域マネジメント

　なぜ、地域マネジメントの文脈で、岩切氏を特別に採り上げるかと言うと、マインドセット（ものの見方。ものごとを判断したり行動したりする際に基準とする考え方）が特有であり、現在の地方の諸課題の解決には、このようなマインドセッ

トが必要ではないかと考えるからである。実業家、経営者などで、地元に貢献した人は多い。しかし、多くは、実業家としての成功の利益還元や、経営者の手腕による問題解決による社会貢献である。岩切氏は、社会に出る前から地元に貢献するという志を持ち、住友本社で民間企業の仕事を覚えた後は、地域マネジメントをするというマインドセットを持って地元貢献や事業経営に当たった。

　岩切氏の地域マネジメント、企業経営に関する考え方を整理すると、第一に、**行政、県知事と同じ視座で、しかも地元目線で地域に貢献**しようとしている。岩切氏は、民間知事をしようと思う。知事の仕事は任期があるので、どうも坪刈りをされるように思う（著者注：坪刈りは、江戸時代の検地のため田んぼの一部を刈り取ること。ここでの文意は、人事異動が頻繁で任期が短いという制約がある知事職等の行政官は、中長期の視野に立った整合的な施策をせず、短期的、部分的に効果が見えやすい施策だけを部分的に行いがちという意味）。知事さんの蒔いた種を立派に育てる。悪い苗だったら黙って引っこ抜いてしまう。こういう男（民間知事＝岩切氏）がいたら、便利とは思いませんかと、当時の知事に言っている[50]。**行政官の人事異動の頻繁さによる弊害の本質を当時から見抜き、地元、民間の立場で自分が補完・補正しようと表明**している。

　地域マネジメントで重要な概念である「地域マネジメントの多段階性」を意識して、**県知事、行政が行う地域マネジメントも、自分ごととして考えて実行することを表明**している。本業の宮崎交通や、支援で手伝った銀行事業でも、公的性格をもった民間企業を経営することで地元経済に貢献することを考えて実行している。このように、多段階の地域マネジメントを一人で実行した企業人はたいへん珍しいと言える。

　第二に、儲かる営利事業は他の事業家に任せて、地域全体のためになる、利益の薄い事業、すなわち、**経済学でいう市場の失敗に属する事業に取り組むことで地域に貢献**しようとしている。岩切氏は、人のしている仕事はしない。人のやらぬ仕事か、行き詰まった仕事だけをして行こうと言っている[51]。民間に在りながら宮崎県全体、パブリックの利益を視野に入れて、他の人が手がけない仕事、他の人が持てあます仕事など、利益の薄い困難な仕事でも、地元に貢献する事業であれば行うことを表明している。これは、**経済学の市場の失敗の**

[写真2-2]
道の駅フェニックス

国道220号（現在は旧道）
の山側に建物を建て、
観光客は道を渡って眺
望を楽しむ。

提供：宮崎市観光協会[52]

理論によって、全体としては価値があるが、企業人は儲からないので手を付けない事業を見つけて自分はやると言っている。

　例えば、観光名所である堀切峠の眺望に配慮して**写真2-2**のようにドライブインを山側に整備して海の眺望を確保した。商業ベースを追求するのであれば、窓から眼下に海が見えるレストランなどを海べりに作るところだが、そのようにはしていない。また、大淀川沿いの園地を造成する際は、広告看板の設置をあえて行わないで景観に配慮するなど、自社の利益を超えて地域マネジメントを指向している。

　このような岩切氏の景観を重視する考え方は、宮崎県の有志、ボランティアによる美しい郷土づくり運動推進協議会による活動や、宮崎県庁の宮崎県沿道修景美化条例に受け継がれている。岩切氏は民間企業の創業者、経営者でありながら、地域経済全体のマネジメントを常に考えた人であったと考えられる。

　市場の失敗というミクロ経済学の理論については、第5章で紹介する。

　第三に、上記を含めて、2015年に観光庁が候補法人の登録を開始した**日本版DMO事業の先取り**とも言える観光の構想、実行を、岩切氏および宮崎交通グループ各社が行ってきたと考えられる。DMO（Destination Management Organization, 直訳で観光地マネジメント組織）とは、観光物件、自然、食、芸術・芸能、風習、風俗など当該地域にある観光資源に精通し、地域と協同して観光地域作りを行う法人のことである[53]。

　地域から見ると、対象とする市場は、地元商圏、国内市場、海外（世界）市場の3種類があると先述した。通常のバス会社は、地元商圏を対象とする事業である。ビジネスとしては地元商圏の浮き沈みを受け入れる立場であり、地元の住民に便宜、サービスを提供する事業である。域外から雇用と利益を獲得するビジネスではない。しかし、遊覧バスをはじめとする観光事業は、国内市場を対象に、域外から地元に雇用と利益を獲得する事業である。また、外国人観光客が来れば海外市場から雇用と利益を獲得するビジネスである。現に、宮交ホールディングス株式会社のグループ各社は、バス事業、宮崎空港ビル株式会社、ANAホリデイ・イン リゾート宮崎などをはじめ、インバウンド市場に取り組んでいる。

　岩切氏が、日本版DMO事業の先取りとも言える観光事業を展開していった動機として、域外から地元に雇用と利益を獲得する狙いがあったと考えられる。

（3）宮崎交通と宮崎の観光

　岩切氏の観光への取組みは観光バスへの参入からであった。1931年当時は、日本の観光バスは、東京の青バス、別府の亀の井バスがあるのみで、日本で3例目の早い取組みであったとのことである。ガイドの内容についても、それまでの名所旧跡の案内だけでなく、斬新なものであった。その内容が客の好評を得て、日本中で宮崎の観光バスガイドが有名になったという[54]。

　岩切氏は、観光とは、知らせる、見せる、また来たいと思わせるの三つであり、また来たいと思っていただくという点にすべてのピントを合わせてやってきた。宮崎の観光ブームの根源も、また来たいと思った方々の口づての宣伝の力ではないか[55]としている。**現代の言葉で言うとリピート客を確保することにフォーカスし、口コミで誘客するマーケティング戦略**である。1974年に結婚した人たちの35%が新婚旅行で宮崎を訪れた。2020年には70歳前後であろう。

　現在の宮崎の観光は、野球キャンプ、ゴルフ・トーナメント、青島太平洋マラソン、国際サーフィン大会など、スポーツによる観光が軸の一つとなっている。宮崎空港が宮崎市街や青島地域に近いことや、東京便が頻繁に発着するこ

[表2-2] 宮崎交通の沿革

年　月	経　　　　　　緯
1926年6月	岩切章太郎氏が、宮崎市街自動車株式会社を創立。
1929年12月	宮崎バス株式会社に社名変更。
1931年11月	遊覧バス事業開始。観光事業への進出。
1933年3月	日向産業博覧会が宮崎で開催され、全国からきた自治体議長等から「遊覧バス」に乗りたいと所望され、「日本一だ」と評価される。
1939年3月	青島地域に遊園地「子供の国」(青島地域)を開園。
1942年11月	宮崎交通株式会社に社名変更。
1946年2月	軍事訓練や台風で荒廃していた「子供の国」(青島地域)を再開園。
1948年4月	観光事業の戦後再開として、定期観光バスの運行開始。
1954年10月	大淀川河畔に景観を配慮してフェニックスを植栽し、紅白のテントを配したフェニックスプロムナードを造園。
1956年5月	一般旅行業務に進出し、グループ企業である宮崎交通観光社を設立。
1959年3月	第9回全国バスガイドコンクールで、同社のバスガイドが優勝。
1958年6月	同社グループ初のホテルである株式会社霧島高原ホテルを開業。以降、ホテル、ドライブイン、緑地維持会社などの観光諸施設を設立。
1960年頃〜	昭和30年代後半から、宮崎に新婚旅行ブームが到来。1960年5月、島津貴子(夫君が宮崎県佐土原島津家)夫妻の新婚里帰り。1962年5月、皇太子明仁親王殿下・美智子妃殿下が日南海岸を観光。1965年、フェニックスドライブイン開設。
1977年3月	株式会社青島パブリックゴルフセンター開業。
1991年〜	青島・日南海岸リゾート構想がリゾート法の承認を受け、青島リゾート21計画を開始。
1996年7月	「宮崎・青島パームビーチホテル」(青島リゾート株式会社の前身)を宮崎交通株式会社が開業。
2005年1月	宮崎交通株式会社の産業再生機構による支援が決定。
2006年10月	産業再生機構による支援終了。宮交ホールディング株式会社設立。「宮崎・青島パームビーチホテル」部門はグループ企業の青島リゾート株式会社に改組。
	【2008年 リーマンショック。2011年 東日本大震災】
2013年7月	青島リゾート株式会社「ANAホリデイ・イン リゾート宮崎」にリブランドした。同社のリブランドの経緯と評価については、吉田(2019b)参照のこと。
	【2016年4月 熊本地震。2020年 COVID-19】
2020年11月	アミュプラザみやざきオープン

出所：宮崎交通社史編纂委員会(1997)から著者作成

注：経緯の欄の【　　　】内は、宮崎交通の沿革ではないが大きな影響を与えた事象。

とが強みになっている。岩切氏は、宮崎空港に航空大学校を誘致するなど、空港の整備に力を注いだ。経営に行き詰っていた宮崎観光ホテルを引き受け、ゴルフ場の建設を行った[56]。

　また、県庁をはじめとする行政ともコミュニケーションを保ち、1961年に宮崎県を中心とする南九州の広域観光周遊ルートである青島、霧島、桜島の「三島ルート」を、県境を越えて企画、実現して誘客した。現在でも、**県境を越えた観光協力**は難しい。県ごとに観光予算があり、県庁職員や観光関係者のマインドセット（先入観などから形成される思考様式、心理状態）もある。しかし、観光客には県境の意識はなく、行きたいように移動する。観光サービスを提供する側が県境にこだわると、その観光客の気持ちや動きが見えなくなってしまう。このような壁を越えるために、国の観光庁が県境を越えた観光事業に支援を行っている。具体的には、2008年、観光圏の整備による観光旅客の来訪及び滞在の促進に関する法律（観光圏整備法）を制定して、都道府県境にまたがる観光企画を支援している[57]。岩切氏の県境を越えた観光ルートの企画、実施は、先進的であり、画期的であると言える。

　宮崎交通株式会社、現在の宮交ホールディングス株式会社は、路線バス、タクシー事業にとどまらず、**表2-2**のように、宮崎交通グループの活動領域の拡大と分社化・グループ化によって、観光バス、貸切バス事業、ホテル事業、ゴルフ場事業、ドライブイン事業、空港運営事業、観光地の景観整備のための緑化事業、みやげものの企画開発、みやげもの屋のチェーン展開などの観光関連事業を多角経営した。

　宮崎交通の沿革[58]は、企業が観光地域マネジメントの重要な部分を担った日本における先進事例の一つであり、日本版ＤＭＯに求められる機能の多くを、株式会社の組織形態で先取りして実施していたと考えられる。これらの取組みは、創業者である岩切氏を中心に行われた。

[推薦図書8]　岩切章太郎（2004）『心配するな　工夫せよ』鉱脈社
　　　　　　　岩切章太郎（2013）『大地に絵をかく』鉱脈社
　　　　　　　安宅和人（2010）『イシューからはじめよ ── 知的生産の「シンプルな本質」──』英治出版

[注]

40）岩切（2013）（pp.14-16）
41）岩切（2013）（pp.11-13）
42）岩切（2013）（pp.23-25）
43）岩切（2013）（pp.26-33）
44）岩切（2013）（pp.42-43）
45）岩切（2013）（pp.50-52）
46）岩切（2013）（p.120）
47）岩切（2013）（p.178）
48）岩切（2013）（pp.55-66）
49）安宅（2010）（p.4-6）
50）岩切（2004）（p.36）
51）岩切（2004）（p.62-63）
52）宮崎市観光協会 https://www.miyazaki-city.tourism.or.jp/spot/10005 　（2020/09/03取得）
53）JTB総研　観光用語集
54）宮崎交通社史編纂委員会（1997）（p.24-p.29）
55）岩切（2013）（p.91）
56）岩切（2013）（pp.92-99）
57）観光庁 https://www.mlit.go.jp/kankocho/shisaku/kankochi/seibi.html 　（2020/09/03取得）
58）https://www.youtube.com/watch?v=0dQ0JU2G4Is 　（2020/06/06取得）

第4節 地域商社

　地域商社とは、地域の多くの関係者を巻き込み、農産物などの**地域の資源を**
ブランド化し、生産・加工から販売まで一貫してプロデュースし、地域内外に
販売する組織のこと[59]とされ、観光を担うものもある。図1−3の地域経済の
内外マーケットとのつなぎ役を担っている。

　栃木県の株式会社ファーマーズ・フォレストがこの先駆けとされる。同社
は、2007年創業で、道の駅の運営、食と農業の商品・サービス開発支援、地域
商社事業として、農産物や地域特産品等の総合流通事業展開、産地間中規模
流通、直営店舗や地域アンテナショップ等の経営、着地型旅行・ツーリズム事
業、クラフトビールの醸造販売事業、OEM 製造受託事業、企業経営診断・コ
ンサルティング事業を行っている[60]。

　同じく地域商社の主な例とされる[61]岩手県産株式会社は、1964年創業で、
岩手県産品の販路拡大を通じて、県内の産業振興に寄与することを目的とし、
主な事業は、県産品の卸・小売、物産展や見本市への参画、県内生産者への情
報提供および商品開発・改良の各種相談業務[62]である。

[図1−3]
地域経済の
全体像（再掲）

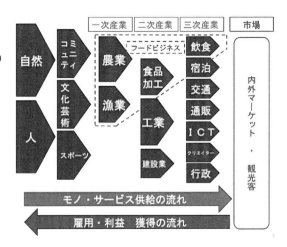

[写真2-3]
岩手県産株式会社
が開発・販売し、
ヒットした
「Ça va（サヴァ）？缶」

提供：岩手県産株式会社 [63]

　「Ça va（サヴァ）？缶」は、岩手県産株式会社が、地元企業等と連携して2013年に発売した。東日本大震災で衰退した被災地三陸からオリジナルブランドの加工品を発信しようと、国産サバを使用したオリジナルの洋風缶詰として開発・販売した。「Ça va ？（サヴァ）？」はフランス語で『元気ですか？』という意味で、「元気ですか？」と岩手から全国へ向けて声をかけるイメージで名づけられた [64]。「Ça va（サヴァ）？缶」は、普通のサバ缶の3倍の値段がするので、最初はどこのスーパーマーケットにも置いてもらえなかったが、セレクトショップ、雑貨屋、パン屋で置かれはじめ、おしゃれなデザインが受けて、女性誌やライフスタイル誌に採り上げられ、大ヒット商品となった [65]。

　宮崎県の（一財）こゆ地域づくり推進機構（通称 こゆ財団）は、地元産品がいろいろある中で、何をブランド化して売り出すか検討し、ライチを選んで販売に成功した。**選んだ理由は、ライチは、輸入品は市場に出回っているものの、国内産は希少価値が高く、競合もほとんどなかったからである**という。国産ライチの競合がほとんどなかったという理由づけは、マーケティング手法の5フォース分析をして、競合企業がいない商品を選択し、ブルーオーシャン戦略を採ったことを意味している。結果は、マーケティング分析が当たり、「1粒1000円ライチ」として世に出して、新富町を代表する特産品として多くの人に

認知された[66] としている。

　宮崎大学地域資源創成学部のある学生は、「学部のインターンシップで"こゆ財団"に行ったが、まさに経営学だけでなく、経営学に引用されている経済学、心理学、社会学から学んで働いている方が多くいらっしゃって、その方々の考え方を踏まえて地域循環をどうするかなどを考える運用がされていたことを非常に実感した」と感想を述べている。

> ### コラム4
>
> ## ファイブフォース分析、レッドオーシャン・ブルーオーシャン
>
> 　5（ファイブ）フォース（5forces）分析は、米国の経営学者ポーターが提唱した、業界の儲かりやすさを分析する手法である。①既存の競合企業どうしのポジション争い、②新規参入の脅威、③代替品の脅威、④買い手（顧客）の競争力、⑤売り手の競争力の要因分析をすれば儲かりやすさがわかるとした[67]。
>
> 　経営学の用語で、血で血を洗うような激しい価格競争が行われている既存市場をレッドオーシャン（red ocean）と言い、競争のない未開拓市場、新しい商品やサービスを開発・投入することで創出される競合相手のいない市場をブルーオーシャン（blue ocean）と言う[68]。

　いわゆる「地域振興」「地域活性化」の事業で行われた「6次産業化」では、販売不振などにより不調に終わった事業が多い。これらの事業では、こゆ財団のようなマーケティング、マネジメントの発想が欠けていたと考えられる。米国の経営学者のチェスブロウ（Henry William Chesbrough）が指摘するように、地域資源それ自体には固有の価値はない。ビジネスを黒字にして初めて資源となる[69] ことを良く理解する必要があると言える。

　優れた地域商社では、このようなビジネスモデル、マーケティングの重要性に気づいた地元の有志によって、経済社会の変化の中で格闘するマネジメントが行われている。これらの**地域商社の地域経済での位置づけは、図1-3の地域経済の全体像の中で、内外マーケットや観光客といった域外市場にアクセスするバリューチェーン**（第3章第1節(2)で後述）**の重要な輪である**と理解すること

[図1-3]
地域経済の
全体像（再掲）

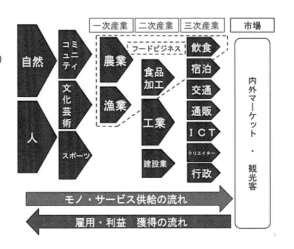

ができる。地域商社は、地域マネジメントのうちのマーケティング機能を担う
ことを期待して設立、運営されるもので、適切にマネジメントすれば地域は雇
用と利益を獲得することができると考えられる。

　一方で、地域商社には失敗例も多いとされている。原因としては、第一に、
地元商品のポジショニングに問題があるケースが指摘されている。ハイクラス
商品でないために、東京などに輸送するコストをかけることが見合わない。品
質面、価格面の両方において競争力がなく、大都市のアンテナショップに並べ
ても、一般商品に対し際立った魅力が見いだせない。初めこそ、物珍しさで都
会の消費者が地元商品を手に取ったとしても2回目以降は難しいなどが指摘[70]
されている。

　第二に、地域商社の組織問題が指摘されている。**設立自体が目的化してい**
て、地元の民間企業の活用の方が良かったのではと思われる場合がある。**一企**
業として競争環境の中にあるという自覚が足りない。地域の設定（市町村の範囲
等）が商品作り、ブランド作りに合っていない。地元のしがらみが邪魔をして
いるなどが指摘[71] されている。

コラム 5

技術や地域資源はビジネスを黒字にして初めて価値を生む

　すばらしい**技術**を発明しても、それを活かしてプラスの利益を生むビジネスモデルがなければ社会に普及せず、雇用も利益も生まれない。特産の**農産品**を収穫できても、収益を生むビジネスモデルがなければ農家は継続できない。商店街や限界集落などの**空き屋**対策も収益を生むビジネスモデルがなければ継続できない。タダで空き屋をもらったとしても、収支が赤字であれば継続できない等々の課題がある。

　カリフォルニア大学バークレイ校ハース・スクール・オブ・ビジネスのチェスブロウ（Chesbrough）教授は、ゼロックスや I BM などの企業研究とシリコンバレーの仕組みの研究から、オープンイノベーションの概念を発見、提示したことで著名である。

　チェスブロウは、**アイデア、テクノロジーそれ自体には固有の価値はない。これらの価値は、それを活用するビジネスモデルによって決定される。**重要なことは、**アイデア、テクノロジーだけでは何の価値も生まない**ということである。これらは商品化されて、はじめて価値を生むと述べている[72]。

　先述した海士町の CAS 冷凍事業で使用している冷凍装置は、技術的に優れている。しかし、いわゆる地域活性化で同じ冷凍装置を使用して事業を黒字化している事業は、海士町以外にはないとされる。在庫を持つこと、単価高く少量ずつ買ってくれる顧客をたくさん持つことなどの採算がとれるビジネスモデルを実現した事業が他にないからである。

　どんなに良い品質の野菜や果物や穀物を作っても、採算がとれるビジネスモデルを作れなければ、努力に見合った収入は得られない。例えば、JA（農協）に対して、高く買ってくれない、規格にあったものしか買ってくれないなどの批判があるが、JA を超えるビジネスモデルを作れないのであれば、事態は改善しない。

　株式会社九州テーブルの九州パンケーキ[73]事業は、大分県産の風味豊かな小麦、宮崎県綾町の農薬を使わずに育てられた合鴨農法の発芽玄米、長崎県雲仙のもちきび、佐賀県の胚芽押麦、熊本県と福岡県の古代米の黒米と赤米、鹿児島県のうるち米と、九州各県の農産物を使用してパンケーキを作り、味とストーリー・ものがたりで国内、台湾、シンガポールで販売していくビジネスモデルを実現した。

　宮崎県串間市の株式会社くしまアオイファームは、様々な品種のさつまいもを生産し、他の農家からも買い付け、加工を行い、年間を通して顧客の需

要に応じて販売できるように保存し、販売するまでのバリューチェーンを、自社で一貫して行うビジネスモデルを作った。国内市場だけではなく、海外の市場調査をして、中華圏、東南アジア圏などの海外にもさつまいもを輸出してビジネスを拡大している[74]。

　地元の技術や地域資源を活かすには、ビジネスモデルを作って黒字化する必要があると言える。

[注]

59）月刊「事業構想」
　　https://www.projectdesign.jp/201606/overseas-expansion/002896.php　（2020/06/06取得）
60）株式会社ファーマーズ・フォレスト https://www.farmersforest.co.jp/company/　（2020/06/06取得）
61）日本経済新聞 file:///C:/Users/USER/Downloads/201700724_nikkei.pdf　（2020/06/06取得）
62）岩手県産株式会社 https://www.iwatekensan.co.jp/　（2020/06/06取得）
63）岩手県産株式会社 https://www.iwatekensan.co.jp/cava/　（2020/03/11取得）
64）岩手県産株式会社
65）三谷（2019）（pp.92-93）
66）（一財）こゆ地域づくり推進機構 https://koyu.miyazaki.jp/　（2020/06/06取得）
67）加護野，吉村（2012）（pp.116-117）
68）小学館デジタル大辞泉
69）チェスブロウ（2008）（p.14）
70）鈴木（2018）
71）日本政策投資銀行（2017）
72）チェスブロウ（2008）（p.14、p.76）
73）九州パンケーキ http://www.kyushu-pancake.jp/　（2020/09/10取得）
74）株式会社くしまアオイファーム https://aoifarm-gr.com/　（2020/09/10取得）

第**5**節　地方行政組織の役割と課題

（1）地方行政組織の課題 —— 専門家の不在 ——

　地方行政組織（都道府県庁や、市町村などの基礎自治体）は、地域の中の有力な構成員の一つで、**非営利組織**という性格をもつ。また、**地域マネジメントを担う組織の候補**でもある。優れた首長、役職員によって、地域マネジメントに取り組んで成果を挙げている地方行政組織もあれば、そうでない組織も多く存在する。

　これからの自治体には目的の明確化が必要である。少子高齢化（人口オーナス）を背景とする日本経済の停滞から、国、自治体の税収は伸び悩み、自治体財政は悪化している。「手持ちの少ないおカネを、将来のために有効に投資するんだ」という覚悟が必要となっている。予算がついたから消化するといった過去の習慣（イナーシャ）を疑わない行政を自治体が続けていくと、時間とともに体力（人口、雇用、税収など）を奪われていく。

　このため、企業が経営理念、長期計画に基づいて年度計画、四半期計画、月次計画を作って経営しているように、自治体も、理念・ビジョン、長期計画に基づいて年度計画、事業計画を実施することが必要となった。

　自治体は、基本構想、総合計画などを策定しているが、その内容が、肚のすわった理念・ビジョン、長期計画になっているのか、年度、月次の行動が、地元の持続可能性のための有効な対策になっているのかが問われている。

　例えば、目的を見失って組織や箱モノを作ったり、首長の実績作りや選挙アピール自体が目的となってしまって、地元を良くする対策が行われないと、時間とともに地域は体力を奪われていく。経営学者のドラッカーも、「目的を明確化することが第一で、組織や、やるべきことは、目的が決まれば決まる[75]」と言っている。このような経営学の考え方を地域マネジメントに活かすことが

求められている。

　地方行政組織の課題の一つとして、観光や企業誘致、企業支援などの専門家が減少していることが挙げられる。かつては、国、自治体でも、同じ職務に長年取り組んできたベテランが多くいた。著者は1984年に通産省に入省したが、1990年代半ばまでは、高校卒業時に公務員試験を受けて入省した職員は、退職するまで、異なる局に人事異動することは稀であった。総務系の人事、文書、会計などの職員も、他の職に異動することはほとんどなく、各々の業務に精通した人が多くいた。理系の大学、大学院を卒業した職員は、専門分野に近い部署に配属されていた。他の中央省庁や地方行政庁も同様であったと考えられる。

　近年は、国、自治体ともに数年以内に、仕事の関連性がない部署への人事異動を繰り返すことがほとんどとなっているので、あらゆる分野で、自前の専門家が少なくなってきている。地方行政組織は、地域マネジメントの重要な担い手であり、地域マネジメントを実行するには、地方行政組織において専門家の再育成が必要であると言える。

　特に、観光における地域マネジメントを行うには、**図1-3**のような地域経済を意識して、農政、商工、観光政策の知識と人脈や、観光地域マネジメントの全体像を考えて、企画し、実行していく必要があり、これだけの行政分野の知見と人脈を得るためには長年の年季が必要であると言える。

　内部専門家がいなければ外部専門家に委託すれば良いという考え方もあるが、内部専門家がいなければ、外部専門家の力量を見極めることも、使いこなすこともできない[76]。

> ### コラム6
>
> ## 仕事力
>
> 　地域マネジメントは人によって行われる。人がいなければ何も生じない。
> 　大学の文系学部から従来型の企業や行政などに就職した人たちの経験則では、新卒で社会人になって5年間の20代の時期は仕事を覚える重要な時期で、「仕事ができる人かどうか」が決まると言われている（IT企業では3年）。した

がって、早めに社会に出て、社会人になって最初の５年は、仕事力が身につく環境で一所懸命働くことが重要となる。なお、５年という期間は現場の経験則で、理論的な根拠や絶対性があるわけではない。学生のうちに起業したり、組織にとらわれない仕事に取り組んだりしている人などには当てはまらない。また、企業が人材をじっくり育てる余裕がなくなっており、社会人になって最初の５年で仕事力の基礎を身につけることが難しくなっているとの指摘[77] がある。いずれにしても、**20代のうちに仕事ができるようになることは、時代や、就いている職業に関わらず、30歳以降の人生にとって重要**である。

　経産省は、2006年に社会人基礎力[78] を提唱している。社会人基礎力、すなわち、職場や地域社会で多様な人々と仕事をしていくために必要な基礎的な力として、①**前に踏み出す力**、②**考え抜く力**、③**チームで働く力**の３つの能力が必要としている。また、その能力を身につけるには、他者との関わり、マインドセット（主体性や仕事観に係る自らの心持ち）、自分のキャリアデザインを自分で考えて作ること、リーダーシップ（リスクを取って新しく何かを始めようとする、率先して現状を変えようと動くマインドセット）を学ぶ必要があるとしている。学び方としては、多様な体験をすること、企業が個人のキャリアデザイン形成に理解を示すこと、経済社会の変化に対応して社会人になってからも学び直しをすること、**学んだあとに仕事で活躍すること**が必要としている。

　キャリア形成の著書を出版している実践女子大学の深澤昌久教授は「仕事で成果を安定的に年々増やし続けるためには、基礎力をしっかりつくり上げなければならない。その最初の時期が**入社後の数年間**と言える。この時期は、**目先の成果にとらわれずに、社会人として、ビジネスパーソンとしての基礎を身につけることが重要で、ここで身につけたものは、一生、ビジネスで役に立つ。**その基礎力は、①信頼され、愛される、②学び続ける、③脳みそに汗をかくほど考える、④主体的に動く、⑤美意識を大切にする、⑥支え、支えられる、⑦習慣化する　の７つである[79]」としている。

　仕事力の有無は、経済学の概念では、人の「生産性 ＝ 一人当たり付加価値」で表される。もらう給与よりも生産性が低い人を継続雇用すると、赤字が続くことになる。職場に照らすと、**仕事力の基礎とは、頼まれた仕事・事業を黒字にする**ことができるための基本動作と言える。顧客、上司・同僚との関係、報告・連絡・相談などのチームワーク力、仕事の段取り、納期と品質管理などが求められる。「〇〇さんに頼めば、納期までに良い品質で仕上がって業務が黒字になるから大丈夫。問題があればすぐに相談してくれるし」と評価が固まれば、それ以降は仕事を頼まれ続ける。逆に、頼まれた仕事・

事業をいつも赤字にしてしまう人、すなわち、使った時間とアウトプットが見合わない人、問題が起きても報告・連絡・相談してくれない人などには、周りの人は重要な仕事を頼むことができない。いじわるや差別をしているわけではなくて、収支の赤字が続けば、企業は持続可能でなくなってしまい、悪くすれば経営者も他の社員も仕事を失ってしまうから頼めないのである。

[推薦図書9] 深澤晶久（2014）『仕事に大切な7つの基礎力』かんき出版

（2）基礎自治体の機能と課題

　基礎自治体の業務の分類は、一般的には、総務、商工、農政など、取り扱う対象によって分類することが多いが、ここでは、機能に着目して、以下の4つに分類して考えてみよう。

　1）意思決定機能（首長室、企画部、議会事務局、財政課など）

　2）法令執行機能（環境基準、建築基準など法令を担当）

　3）予算執行機能（福祉保健、農政、土木、防災、教育などの予算執行）

　4）地域経済振興・雇用確保・税収確保機能（商工、農政の一部、企業誘致、観光など）

　上記の1）意思決定機能は、首長の意思決定をサポートする機能である。各部門の長である部長が、仕事の内容面でサポートすることをはじめ、議会・議員との調整を経て予算や条例を議決して実行する、都道府県、国と調整して必要な施策を引き出すなどの機能である。この機能を担う人は、首長の問題意識を理解でき、議員や都道府県、国の省庁の有力者との人脈、交渉力がある人が向く。

　上記の2）法令執行機能、3）予算執行機能は、いずれもルールが文書化された仕事を公平にミスなく実行する業務である。この機能を担う人は、真面目で堅実な人が向く。クレーマーや反社会的勢力と相対することもあり、容易な仕事ではない。社会的弱者と向き合うことも多く、深い人間力も求められる。世間のお役人のイメージ（お役所仕事など）は、この機能を担う人に対するもの

と考えられる。

　1）から3）の機能の業務のいずれも、自治体内で3年ごとなど定期的に異動しても業務や部署の仕事力にあまり支障は出ていない。なぜなら、1）意思決定機能は、仕事の内容は変わっても、関係者（首長、議員、都道府県、国の省庁の有力者など）は変わらないからである。2）法令執行機能、3）予算執行機能は、ルールが文書化されているので、訓練を受けた人であれば実行可能な部分が多い。このため、多くの自治体は、3年ごと等に、全職員を関連のない部局に人事異動させてもあまり支障がないと判断していると考えられる。

　4）地域経済振興・雇用確保・税収確保機能は、地域マネジメントによって雇用と利益を獲得する機能である。したがって、経営者、民間と同じ発想・行動ができる人が向く。また、本当に仕事ができ、稼げるようになるまでには、民間と同様に10年以上の年季（長い間修練を積んで確かな腕をしていること）が必要である。したがって、仕事ができる人が人事異動していなくなると、業務は停滞し、部署の仕事力はゼロにもなりうる。法令や予算執行と異なり、文書化されたルールやマニュアルはない。

　米国の経営学者のミンツバーグ（Henry Mintzberg）が指摘するように、**効果的なマネジメントは、ビジョン、経験、分析の3要素のバランスがとれた組み合わせが必要**[80]であり、これは、いかに有能な人であっても、3年ごとの人事異動の中では習得、達成されない。

　自治体では、庁内で人事異動しても業務や部署のパフォーマンスに支障はないと考えられる[81]仕事をしている人がほとんど（先述の4分類のうち3機能）であるので、第四の地域経済振興・雇用確保・税収確保機能の仕事についても、全体の人事ルール、例えば3年以内に関連のない部署に人事異動させる、を適用していることが多い。人事担当に、第4分類の職務経験がなかったり、理解がなければ、3年ごとの人事異動に疑問を持つこともない。その結果、観光、企業誘致、企業支援など、地域が雇用と利益を獲得する機能を担う仕事の課題として、第一に、**多くの自治体の内部専門家が少なくなってきている。特に、若い専門家が少なくなってきている**。第二に、**3年ごとに未経験者がゼロスタートで従事して、業務が進まない**といった問題が生じている。

　このような問題について、多くの国や地方行政組織の内部内部ではあまり危

機意識は強くない。しかし、**行政と関わっている民間企業の経営者や社員の多くが、早すぎる行政官の人事異動によって、ものごとが成されない弊害を感じている。**

　地域マネジメントを成功させるには、民間のマネジメントと同様に、市場をマーケティングし、中期経営計画に基づき行動し、PDCA を回し、推進者が替わらないで努力を継続することや、担当者が業務に適合していたら人事異動させないで経験を積ませることが重要である。マネジメントを行うのは人である。無機質な機械や仕組みがマネジメントを行うことはできない。仕組みを作れば誰が担当しても仕事が回るという考え方があるが、絶えず襲いかかる経済社会の変化の中で、一時的に成功した仕組みも、変化に応じて変えていかなければ持続可能とはならないので、その考え方は甘い。仕組みを作り、作り変えるのは、非熟練者では難しい。作り変えるためには、作った人を超える熟練を必要とすることが多い 。

（3）都道府県と国

　基礎自治体にとって都道府県庁の機能は重要である。都道府県庁の機能をみると、国の各省庁に対応した部局を持ち、自ら業務を行うとともに、基礎自治体の業務を支援している。自治体の中で、国の縦割りによる政策供給を、基礎自治体のニーズに応じたものに縦から横に変換する都道府県の仲介機能は重要である。著者は、1992年、中小企業庁の卸売業担当部署を務めた後の人事異動で、岩手県庁工業課長として出向した。県の係長は、一人で、工業に使える中小企業庁の補助金、融資について、申請、運用、決算方法まで理解して仲介し、執行していた。国の中小企業庁では、自らの部署の補助金、融資については、立案し、財務省に予算要求して策定し、詳細に知っているが、他の部署のものは扱っていないので知らない。また、企業に対する執行や決算に直接関わる機会も少ないので、補助金執行の実務には詳しくない。基礎自治体のニーズに応えられるのは、国の担当部署よりも県庁であった。

　自治体によっては、例えば、宮崎県庁や、宮崎県北の基礎自治体には、企業誘致、観光で在籍年数が長い熟練の職員が多い。熊本県の企業誘致や、大分

県、静岡県の観光関係者にも在籍年数が長い熟練の職員がいて、成果を挙げている。その上で、人は必ず年をとるので、専門家ができたとしても、後継者の育成が重要である。現場では、上下とも年齢差15歳を超えるとお互いに世代間ギャップがあってコミュニケーションが難しくなるという経験則があり、**15歳以内に次世代のキーパーソンがいて世代交代しながら継続できることが望ましい**[82] とされている。

　国の省庁は、経産省の職員であれば、基本的に経産省で職歴を重ねており、基礎自治体であれば商工課にずっといるようなものなので、同程度の職歴なら、自治体の職員より、専門性は狭く高いことが多い。したがって、自治体職員には、「専門的なことは国に聞けば知っている」と考えている人もいるであろうし、実際にそれで間に合うケースもある。

　ただし、**自治体から見て国の知識には穴がある。**自治体の業務の中には、商工、農政、6次産業化、中小企業政策のように国の政策と結びついている業務と、企業誘致、観光のように、自治体が主役であり、他の自治体と競争となる業務がある。国の政策に結びついている業務は、国の担当者に聞けば、自治体の担当者が初心者でも、ある程度の業務はできるかもしれない。しかし、自治体間で競争となる業務、例えば、自治体による企業誘致や観光誘客に国は介在しないので、国の行政組織にノウハウは蓄積されない。例えば、国の観光庁は、外国から日本に観光客を呼ぶのは自らの仕事であるが、外国人を特定の自治体に誘客するのは国の仕事ではない。国が特定の自治体をえこひいきすることはできないし、意識にもない。企業誘致も同様である。

　したがって、自治体間で競争となる業務については、自ら人材を育成して、自分で考えて、地元を良くするために動くしかないということに気をつける必要がある。

（4）これからの自治体職員に求められるもの

（4）-1　経営学
　経営者や企業幹部は、マネジメントを、日々の仕事、他者からの情報、経営

学の本、ビジネス書や YouTube コンテンツ、夜学の経営学大学院に行くなどの方法で学んでいる。今の自治体に求められている地域マネジメントも、経営学の一領域なので、自治体職員も同様に学ぶことができる。

　地域活性化のために、「良い事例」の見学ツアーに行くことが多い。見学ツアーに行っても、短時間で得られる限られた情報の中で、自分たちが学ぶべきことを見極めるのはなかなか難しい。良い事例を見て回ったり、勉強するだけでは、自治体の地域マネジメントに活かせないことが多い。

　その理由について、経営学者の楠木教授は、「第一に、たくさんの事例を統計的に処理して成功の法則を導き出し、それに従って経営しようとしても、平均的なマネジメントをすることになって激しい競争にさらされてしまったり、環境に対応して自分で戦略を考えることができなくなってしまう、第二に、成功事例を知ることは意味があるが、成功事例の目立つ部分を採り入れるだけでは、企業戦略の本質である他社との違いを作ることや、戦略を総合的に作ることに逆行して、企業戦略の本質が失われてしまう。それらの結果、良い事例を見て回ったり、勉強するだけでは、自分の事業の経営はうまくいかない[83]」と指摘している。自分の頭で考え抜いて、行動して、失敗して、直して、収支が黒字になるビジネスモデルを作り上げることが大事である。

　理学、工学、農学、医学、生物学、経済学など多くの科学では、たくさんの標本を集めて平均をとって傾向を分析することで真実に近づこうとする。経営学は、たくさんの事例を集めて平均をとって真似すると、血で血を洗うような激しい競争（経営学用語のレッドオーシャン）に身を置くことになり、逆効果になると教える。「地域活性化」で、成功事例を多く集めて、共通することを真似して採り入れて失敗するのは、経営学を学んだことがない人が陥りやすい誤りである。

（4）-2　しなやかなマインドセット

　人口オーナス期に入り、厳しい経営が続く地域では、地域マネジメントの考え方が必要となっている。したがって、これからの自治体職員には、経営学の知識や広い視野、しなやかなマインドセットを持つことが必要である。

　マインドセット（mindset）は、経験などから形成される思考様式で、暗黙の

了解事項、価値観などをいう。人の心は一面的なとらえ方はできず、多面的に見てセット（set, 設定）したものがマインド（心）の全体像を表しているという考えから、マインドセットと表現する[84]。米国の社会心理学者ドゥエック教授は、マインドセットには、**固定的マインドセット**（fixed mindset）と、**しなやかなマインドセット**（growth mindset）があることを示した。固定的マインドセットは、経験、教育、先入観などから自分の能力は変えられないと思い込んでいるマインドセット。しなやかなマインドセットは、努力すれば自分の能力を伸ばせると考えているマインドセットをいう[85]。経営学は、心理学のマインドセットの概念を取り込んで、人や企業のマインドセット次第で、仕事の成果に大きな違いが出ることや、同じできごとに対しても、受け止め方、その後の成長が大きく変わることを指摘している。マインドセットは、無意識な思い込みであるため、自分では自覚しづらく修正しにくい。自分の仕事に意味や使命を見出し、能動的に新しい価値を生み出す意欲が持てるようになること[86]、すなわち、しなやかなマインドセットを持つことが良い仕事をするために必要であると指摘する。

　自治体の仕事は、民間企業のように、売上、利益のように見えやすい指標がないので、**自治体職員のマインドセットがしなやかなマインドセットになることが、自治体が力を発揮するために、とても重要**となる。

　先ほどの「良い事例」を見に行く見学ツアーについても、無意味なのかというとそうではない。「良い事例」の平均値を真似するのはうまくいかない。しかし、私たちの学びの糧 (かて) としては重要である。したがって、「良い事例」の見学ツアーに行くときは、先入観、固定観念から自由な心の状態となり、しなやかなマインドセットで、新しい情報を伸びやかに採りこんで、自分の視野を広げることに集中しよう。そして、地元に帰ってきたら、広げた視野で、自分の頭で地元の未来を考え抜いて、行動して、失敗して、直して、ビジネスモデルを作り上げよう。

　経営学では、ビジネスモデルを考えて、事業の収支を黒字化することに注力する。赤字になると企業は持続可能にならないからである。自治体の地域マネジメントも、地元の雇用を維持し、収支を黒字にしないと、地元は衰退し、限界集落となり、消滅してしまうという危機意識をもって取り組もう。経営学

や「良い事例」から知識や広い視野を得て、地元にとって有効な地域マネジメントを実行しよう。

（4）-3　人脈

　これからの自治体職員は、組織外の人脈も重要である。例えば、福祉部署が医師会と人脈を作っていた自治体のワクチン接種が円滑に進んだなどの例もある。地域マネジメントは、地元の企業や農家などが経済活動を盛んにして、雇用や納税を増やしてくれて、地元が持続可能になるようにすることが目的なので、外部人脈なしには何も達成することはできない。地域経済振興・雇用確保・税収確保機能の仕事に取り組んで地元に貢献すれば、外部人脈は自ずと増えていくはずである。担当職員で、外部人脈がない人がいたら「自分は実質的に仕事をしていないのではないか」と、胸に手を当てて考えてみよう。

　人脈は人に帰属するので、頻繁に人事異動させると、人脈はできず、成果は上がらない。自治体が主役の業務は、自治体が、自前で人材育成しなければ担い手はできない。このような業務については、国などは手伝ってくれないので、数年ごとに担当者を人事異動させ、常に初心者に担当させては、成果を期待できない。

　このよう人脈や人事異動の問題について、多くの自治体の内部ではあまり危機意識は強くない。これが、どれだけ地域にダメージ（損害、被害、痛手）を与えているか、感じとれていないからであろう。

　一部の自治体では、そのことに気づいて専門家を育てている。例えば、島根県江津市では、商工観光課長らが長く在籍して知見や人脈を蓄積しており、若手職員に地域マネジメントを考えさせ、目的に合う国の補助金に手を挙げさせ、若手職員から国の職員に対してプレゼンして質疑応答させることで実地訓練をしている。採択を勝ち取れば、若手の自信になり、実力がつく。自治体が、理念・ビジョン、長期計画に基づいて事業を進め、若手人材を育成し、財源を確保する取組みとして注目される。

　また、東日本大震災の復興支援の際には、岩手県宮古市の佐藤日出海産業振興部長（当時）が、現場から状況を聴いて市独自の企業に対する復興支援策を矢継ぎ早に打ち出した。それを、国が次々と国の復興事業に採り入れて予算化

していった。地域の理念・ビジョン、長期計画に基づいて自治体が地域マネジメントを継続していれば、今必要なことが何かを常に考えることができる。災害復興の際には、課題が短時間に山積するので、日ごろの行政力の差が拡大されてあらわれる。

（5）地域マネジメントの財源

　著者は、国の行政官として、自治体の補助金の予算申請の採用・不採用を決める仕事に多く携わった。1980年代までは、行政官が申請書を読み、聴取して決めていたが、1990年代以降は、行政官も申請書を読み、聴取するものの、外部専門家に最終決定を委ねることが多くなった。いずれにしても、多くの自治体の申請書を読み比べ、説明を聴くと、優劣は自ずとはっきりしてくる。

　宮古市の佐藤部長のように、長年、現場に出て企業支援、企業誘致に携わり、震災に当たっては、パニックに陥った企業者から罵声を浴びせられても敢然と支援ニーズを聴きだして、矢継ぎ早に一連の対策を打ち続けるような自治体職員に対しては、国の行政官は、ただただ学ぶほかない。

　江津市のように、長年続けている市の地域マネジメントの延長に、若い職員が若い視点で練り上げた施策案を聴くのは、知的に刺激される。

　国の行政官は、多忙で、地方出張はおろか、役所と家を往復するだけで体力の限界の縁にいることが多い。現場のことは知らない。しかし、若い時は、早朝から終電まで、時には週末も出勤して大量の情報を捌いて仕事をしているので、10年も務めると、知識量は膨大になり、仕事に関しての良し悪しには鋭敏になる。自治体の予算申請の内容を聴く前に、どういうものが良いという定見があるわけではないが、例えば、昼間に10件の聴き取りをして、夜中に、上司や外部専門家が判断しやすいように、要点や評価軸などを整理した表を作る作業をする日々を10日過ごして100件の聴き取りを終えると、自ずと、その補助金に関する自治体の予算申請の優劣はわかってくる。

　劣っている予算申請は、これまでに、肚のすわった長期ビジョンに基づく活動による成功と失敗の経験などの実績がなく、国の事業予算が公募されたから、募集要項を見て急いで作文したといった内容のものである。現場ならでは

の迫力がなく、空虚にすら感じられる。説明者に質問したり、その回答を聞いていると、自治体の職員に地元を良くしたいという肚がなかったり、理念・ビジョンがぼやけていたり、説明者の応答に専門性や熟慮が欠けていて、申請内容を見たり、説明者から聞いたりしても「良い事業が実施される気がしない」と感じる。

優れた予算申請は、例えば、飛騨の高山市であれば、1981年の豪雪で、鉄道が寸断され、観光地として大打撃を受けた後に「台湾市場にターゲッティングして外国人観光客を呼ぶ」という長期ビジョンを揺るぎなく掲げ、試行錯誤を繰り返し、観光客のデータを取り続け、必要な施策を考えて打ち、失敗したら修正してきたという体験の上に練り上げられている。国の補助金を取るのが目的ではなく、自治体の長期ビジョンの軸があり、失敗を乗り越えて進めている中で、国の補助金で良いものがあれば利用しようという姿勢だ。国の行政官としては、高山市に「自分たちが苦労して用意した補助金の意義を認めてもらった」という気持ちにすらなる。

経営において、成功の反対語は失敗ではない。何もしないことである。経営学を勉強した上で、早く実行し、早く失敗し、早く修正する方が、たくさん修正、経験できるので、地域マネジメントの質は高まる。

国の事業が公募されてから申請までは期間が短いことが多い。自治体が予算申請する際には、やりたいことを国の予算事業に適合するように説明する論理（ロジック）を考える、エビデンス（証拠）データを集めるなどの業務が短時間に山積するので、日ごろの行政力の差が拡大されてあらわれる。この差が、**補助金申請書にあらわれる自治体の地域マネジメントの力量の差である。**けっして、ふだんの仕事力と別物なわけではない。

自治体は、国や県の支援策、補助金などを何でも使えば良いということにはならない。マネジメントは、経営理念、戦略に基づいて実行するものなので、経営理念、戦略に合致した支援策、補助金だけを選別して活用する姿勢が重要である。支援策、補助金ができたから、あとさき考えずにそれを使うという発想では、自治体の戦略が不明確なままで、他人の発想に振り回されることになり、マネジメントの戦略作りとしては最悪の状況になる。たとえ、支援策、補助金が示されても、地元の負担は少なからず生ずるので、よく考えて、必要な

補助金以外には手をつけるべきではない。著者が通産省から岩手県庁の工業課長に出向した際に、県庁の幹部から求められた依頼の一つは、「岩手県の工業発展に役立つ国の支援策と、そうでないものを見極めて教えてほしい」というものであった。

（6）良くある自治体内部の障害への対応

（6）- 1　自治体行政に求められる公平性との緊張関係

　地域マネジメントの実行に当たって良くある自治体内部の障害として、**自治体行政に求められる公平性**との緊張関係がある。自治体の仕事の多くは公平性が大事である。法令はすべての人に公平に適用されなければならない。予算執行も公平に行われるべきである。

　しかし、地域マネジメントは、地域経済振興・雇用確保・税収確保を目的とすることから、公平でないように見える事業が多くある。例えば、多くの自治体で、企業誘致補助金を出しているが、地元企業との関係で公平でないと指摘されることもある。産業クラスター、地域クラスター、エコノミックガーデニング（庭の植物を育てるように、地元企業を伸ばし育てる政策）などの地元有望企業支援策は、特定の地元企業を産学官で支援して伸ばしていく施策であるので、選ばれない企業との関係で公平でないと指摘され、緊張関係が生じることもある。どのように考えれば良いのであろうか。

　企業誘致や地元有望企業支援策は、地元の雇用、利益、税収を増やすための投資である。形としては、自治体の予算支出の一部を構成するが、福祉予算を公平に執行するのとは意味合いが異なる。むしろ、企業誘致や地元有望企業支援策の投資によって、人口減少や税収減を緩和し、福祉予算などの財源を将来にわたって確保するための投資である。投資をするときに、公平性という縛りに囚われすぎると効果が出ない。

　自治体は公平でなければならないので、企業誘致や地元有望企業支援策は行うべきではないと考えている自治体職員も多くいるが、その考えには、地域マネジメントの発想がない。何も考えなくても、誰かが税金を払ってくれて、自分たちはそれを公平に執行すれば良いと、自分たちの仕事を狭く限定してい

る。地域全体にとって必要なことについて思考停止している。このような固定的マインドセットは、人口オーナス期の自治体経営の足を引っ張ってしまうという自覚が、これからの自治体職員には必要だ。普通国債残高／GDP 比が200％を超えている中、自治体の財源の確保は容易ではない。その貴重な財源から、20代から60代までの間、安くない給料を受け取っている自治体職員が、このような固定的マインドセットを持っていることは、地域にとって大きなダメージとなる。

　大学の授業で学生に企業誘致や地元有望企業支援策と行政の公平性について尋ねると、予備知識がない場合、過半が企業誘致や地元有望企業への支援策に否定的である。講義をし、ディスカッションさせて、どちらを優先させるべきか尋ねると、肯定が過半、否定が 2 ～ 3 割に変化する。住民や自治体内部では、企業誘致や地元有望企業への支援策に否定的であることが通常状態であろう。

　特定の企業を支援するに当たっても、どのような条件の企業を、どのような手続きで審査して選ぶのか（デュープロセス。適正手続き。）を明らかにするなど、一定の公平性を保つべきである。

　例えば、宮崎県では、支援対象とする「未来成長企業」を「高い技術力や競争力のあるビジネスモデル等を有していること、またはその獲得、構築に取り組むことで、今後、売上高が大幅に増加するなど、大きな成長が見込まれるとともに、県外からの外貨獲得や県内経済の循環拡大、地域の雇用への貢献等により地域経済に寄与する、将来、中核企業となることが期待される企業」と定義していることを公開し、公募要領、認定審査会によって選定することを公開して候補企業を公募し、選定している。このように、特定の企業を支援するに当たってのデュープロセスを明らかにすることで、一定の公平性を保っている。

　地域の雇用・利益を確保するために、**地元の将来に貢献する**ことに対して**集中した投資**を行わないと、地元の将来はない。このことを、地元の関係者が納得するまで説得することが重要である。山内 前海士町長や竹中 上士幌町長などの先駆者の成果は、関係者への、このような説得を続けてきたことの上に成り立っている。

（6）- 2　自治体内での反対に上手く対応するには

　自治体で、何かを成し遂げようとすると、外部との調整も大事だが、**自治体内の調整ができなくて、実行に至らないことも多い**。特に、地域マネジメントを実施しようとするときに、法令執行機能、予算執行機能の部署に理解がない場合、ルール上の解釈の中でできることでも「できない」として否定されることも多い。否定した側は、地域の持続可能性を阻害する判断をしたという自覚はなく、「ルール通り処理した」と正しい仕事をした気になっていることがほとんどである。

　企業は法令遵守をしながら利益を出すために様々な事業をする。ある事業をするときに、法令違反になる可能性があるときは、どうすれば法律を遵守しながら経営目的を達成できるかについて、企業は、企業法務弁護士（以下「弁護士」）に知恵を出してもらう。このとき、腕の悪い弁護士は簡単に「できません」とか「裁判をしないと確定的なことは言えません」と言う。企業は法律を犯すリスクを抱えながら事業をするか、事業を諦めるしか選択肢がない。他方、腕の良い弁護士は、**法律をどう解釈すれば、事業が実行できるのか**、原案通りではどうしても法律違反になる場合、**どこをどう変えれば、法律違反にならずに**、利益も原案よりもなるべく減らさないように事業ができるのか、迅速に助言をくれる。腕の良し悪しの差は大きい。

　地域マネジメントの自治体内の調整を上手く行うためには、**3 つの要素**が重要である。第一に、首長をはじめ、自治体職員が、**理念・ビジョン、長期計画の意義を共有している**こと。第二に、地域マネジメントの担当部署、担当者は、施策案を立案するときに、法令、予算の担当部署の意見を良く聴き、ダメ出しをされたときは、**実現可能な案ができるまで、代案を出し続けて相談する**こと。第三に、**法令、予算の担当部署は**、ルールを遵守するとともに、自治体の理念・ビジョン、長期計画の意義を共有し、「**腕の良い弁護士**」になることである。「腕の良い弁護士」になるためには、法令や予算要綱などをより深く読み込んで理解し、立法趣旨や解釈、判例なども勉強し、行政課題に対して視野を広く持たないといけない。「腕の悪い弁護士」がなぜ腕が悪いかというと、勉強不足で視野が狭いからである。

　経営学者のコトラーは、製品、価格、流通など7つの経営要素をバランスよくミックスさせる必要性（マーケティング・ミックス）を提唱した。マーケティング・ミックスとはどのような考え方なのか、コトラーは次のように例示している。ある航空会社のマーケティング担当役員が、機内食の質を上げ、機内を清潔にし、キャビンアテンダントを再教育し、運賃を値下げして顧客を増やそうと考えた。しかし、機内食の担当部署は仕入れ食材、加工業者の費用を安く抑えようとし、整備部署は掃除が行き届かないが安い清掃業者を選び、人事部署は手間がかかるので、コミュニケーション能力の見極めをせずに不愛想なキャビンアテンダントを採用し、財務・経理部署は運賃値下げを拒否した。こうして、マーケティング担当役員のマーケティング・ミックスは挫折した[87]。会社の**全体最適**（経営学用語で、システムや組織の全体が最適化された状態）を求めた役員の構想は、**部分最適**（経営学用語で、システムや組織の一部のみが最適化された状態）に固執する各部署の狭い視野と乏しい問題意識によって崩れた。

　首長をはじめ、幹部、財政課など、自治体の意思決定機能に携わる職員は、地域の雇用・利益の源泉としての地域マネジメントが、法令、予算の担当部署の無理解と勉強不足で潰されそうになっているときは、全体最適になるように、各部署を指導・調整しなければならない。これが、地域マネジメントの本質的な部分の一つでもある。

　一般論として、全体最適を考えないで、部分最適だけを考えると、全体はうまくいかない。どんな課題についても、部分最適の意見（この例では、法令、予算の担当部署が地域マネジメントへのルール適用の代案を認めない、考えない。）は必ず出る。部分最適の考えの人が意見をゴリ押しして全体の対応を決めてしまったり、リーダーが、部分最適の考え方を全体最適の視座（物を見る姿勢）から調整・修正しないと、全体はうまくいかない。したがって、**第一に、首長などのリーダーシップ、第二に、産業振興部署の粘り強い提案力、第三に、法令、予算の担当部署が「腕の良い弁護士」になること**の3要素が、効果のある地域マネジメントを、自治体内の反対を乗り越えて実現できるように、上手く調整するための条件となる。

　今日も、どこかの自治体で、全体最適が部分最適に敗れていることであろう。このような事態の打開は、地域の雇用・利益の源泉としての地域マネジメ

ントを、実現していくために必要不可欠であると言える。

> コラム 7

ABC 分析、トリアージ

　行政の仕事は、民間企業と異なり、STP マーケティング（セグメンテーション、ターゲティング、ポジショニング。コラム 8 参照）の手法など、経営学・マネジメントの主要な理論や手法を採ることができないことがある。海士町や上士幌町は子育て支援に力を入れているが、他の分野を捨ててフォーカス（集中）しているわけではない。民間企業のように、得意な分野にフォーカスして、他には手をつけないわけにはいかない。しかし、行政も、課題は多く、人材、資金などのリソース・資源が足りないことは、民間と同じである。優先順位・プライオリティをつけないで仕事をすると、コストパフォーマンス・費用対効果が上がらない。そのようなときに、行政でも採用できるマネジメントの考え方の例が、ABC 分析とトリアージである。

　ABC 分析（ABC analysis）は、販売管理や在庫管理などで管理対象が多い場合、すべての対象を同等に扱うのを避け、その重要度に応じて対象を A，B，C の三つのグループに分類し、管理効率を高めるための手法[88] である。ABC 分析を行うには、構成する項目ごとに重要度順に棒グラフで並べたものと、累積構成比を表す折れ線グラフを組み合わせたグラフで分析する。例えば、図 2-6 では、地方自治体の支出項目の大きい順番に棒グラフを並べ、折れ線グラフで累積構成比を示している。福祉・民生費、教育費、公債利払、土木建設費は多い項目なので A グループとしている。A グループで全体の支出の約 6 割、A，B グループで約 8 割を占めていることがわかる。

　例えば、予算が厳しくて支出を見直さなければならなくなったときに、やみくもに支出削減を検討しても人手が多くかかって、しかも、成果が上がりにくい。ABC 分析の考え方では、まず、支出が大きな項目（A グループ）の支出見直しから検討する。なぜなら、例えば、商工費は全体の 6 % なので、10 % 削減しても全体の 0.6 % しか削減できない。これに対して、福祉・民生費は全体の 26 % なので、10 % 削減できれば、全体を 2.6 % 削減できる。実際に、日頃の健康維持や予防医療に力を入れたり、薬をジェネリックに替えるなどで、民生費の中の国民健康保険、高齢者福祉経費の削減に成功した自治体もある。安宅教授は著書[89] の中で、国の支出の大きな部分を占める高齢者への医療、福祉支出を見直さないと、財政赤字解消や、国の将来を作るために必

[図2-6] ABC分析図の例

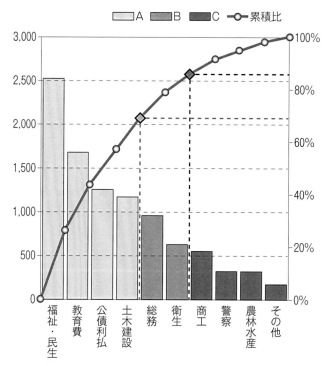

目的別歳出	決算額	構成比
福祉・民生	2,525	26%
教育費	1,680	18%
公債利払	1,257	13%
土木建設	1,171	12%
総務	961	10%
衛生	630	7%
商工	552	6%
警察	323	3%
農林水産	321	3%
その他	175	2%

出所：総務省 (2018) から著者作成

要な先行投資を行うことはできないと論じている。

　ABC分析は、製造業などで取り組まれている**品質管理**（QC，quality control）で多用される**QC 7つ道具**のひとつでもある。QC 7つ道具とは、

品質管理および品質改善を実施していくための手法の中で、層別、パレート図（ABC分析）、特性要因図、ヒストグラム、散布図、チェックシート、管理図の各手法をいう。

　トリアージ（triage，選別、分類）は、災害・事故で発生した多くの負傷者を治療するとき、負傷者に治療の優先順位をつけることで、最も有効な救命作業を行う手法[90]である。行政でも、災害時をはじめとする緊急事態に、すべてに対応することができないことがある。その際に、トリアージは、個々の仕事に取り組む前に、どの仕事から取り掛かるべきか優先順位をつけて行うという考え方である。

　住民などに対して平等で公平な対応が求められる行政では、経営学・マネジメントの考え方を全面的に適用することはできないが、かといって、まったく適用しないと、不効率が生じ、その結果、本当にやるべきことに取り組めないこともある。行政分野でも、仕事に経営学・マネジメントの考え方を活かせないか常に考えることが重要であると言える。

［注］

75）Peter Ferdinand Drucker（1973），Management: Tasks, Responsibilities, Practices, New York: Harper & Row（上田訳（2008）『マネジメント』上中下　ダイヤモンド社）p.92

76）吉田（2019a）（pp.173-175）

77）深澤（2014）（p.14）

78）経済産業省 https://www.meti.go.jp/policy/kisoryoku/ （2020/04/27取得）

79）深澤（2014）（p.4）

80）Henry Mintzberg（2005），Managers Not MBAs: A Hard Look at the Soft Practice of Managing and Management Development, Berrett-Koehler Publishers, pp.93-95

81）本当は、1）から3）の機能の業務であっても、職員を頻繁に脈絡なく人事異動させると、パフォーマンスは落ちていると考えられる。

82）佐藤利雄（2021）「キャリア昔いま（2）―コーディネータ職の経験から―」『NEWS LETTER』N0.62 雇用構築学研究所

83）楠木健（2012）『ストーリーとしての競争戦略』東洋経済新報社、pp.29-35

84）MBA 経営辞書

85）Carol S. Dweck（2006）MINDSET, Random House（pp.14-15）

86）羽田康祐『ビジネスマインドとは？』（p.1）

87）Philip Kotler（2003），Marketing Insights from A to Z: 80 Concepts Every Manager Needs to Know,（フィリップ・コトラー（著）、恩藏 直人，大川 修二（訳）（2003）『コトラーのマーケティング・コンセプト』丸井工文社）pp.145-146

88）有斐閣 経済辞典 第 5 版

89）安宅（2020）

90）広辞苑 第七版

第3章
観光地域マネジメント
の実際 ──地域マネジメントの
重要な一部として──

_第 1 _節 観光の意義と 観光地域マネジメント

　著者は、2013年7月〜2015年10月、国土交通省観光庁観光地域振興部長の職に就き、本書で紹介する方々をはじめとする観光関係者から、多くの示唆に富むご指導をいただいた。

　地域活性化のために観光が注目されている。観光による地域活性化も、地域全体の活性化の一部である。したがって、観光地域マネジメントも、地域全体のマネジメントの一部である。

　観光地域マネジメントも、地域経済の持続可能性に向けて、ビジョンを掲げ、経験から学び、マネジメントの理論や手法を駆使する。地域全体のマネジメントと同様、絶えず襲いかかる経済社会の変化の中で格闘する必要がある。リーダーをはじめ関係者の覚悟、熱意も求められる。

（1）観光の意義

　観光の意義は、ソフトパワーの強化と経済活性化の大きく二つがあり、さらに図3-1のような意義があるとされる。

　自己評価の向上とは、他人の評価を通じて、自分の評価が前よりも良くなることをいう。例えば、"何もない田舎"に住んでいる人たちの地元に学生が訪れて、「地域の観光資源を調査したら様々な魅力が見つかりました」といった報告を聞いたときに、地元の人たちは、改めて地元を見直し、そこに住む自分たちを誇らしく思うといったことや、東日本大震災で大きな被害を受けたときに、レディー・ガガ氏[3]など多くの海外の有名人が、日本にエールを送ってくれると嬉しく感じて励まされるなどである。

[図3-1] 観光の意義

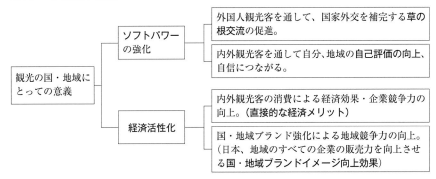

出所：2013年インバウンド研究会「中間提言」から[1] 著者作成

注：インバウンド研究会は2012年に設立。株式会社ぐるなび総研が主催、㈳日本観光振興協会らが共催。メンバーは、観光庁、日本政府観光局（JNTO）、自治体、観光業界の企業、株式会社三菱総合研究所、（公財）日本交通公社など。海外観光客の誘客をテーマとした[2]。

（2）観光地域マネジメントの考え方

　観光地域マネジメントは、地域マネジメントの一領域である。図1-3（再掲）で示すように、飲食、宿泊、交通といった狭義の観光業は、観光客に直接のインターフェイスをとる役割を担う窓口役になる。食品加工などの二次産業、農業、漁業などの一次産業、地元コミュニティ、四季の自然を案内するこ

[図1-3]
地域経済の
全体像（再掲）

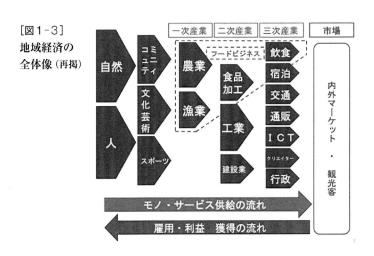

[図3-2] 製造業（ものづくり）のバリューチェーンの例

研究 ➡ 設計 ➡ 試作 ➡ 生産 ➡ 品質管理 ➡ 営業 ➡ 補修 ➡ 中古販売 ➡ 廃棄

(参考) チェーン（くさり）のイメージ

出所：Publicdomainvectors.org

とまでをマネジメントして、通信販売のリピート客獲得を含めて、地域からモノ・サービスを供給し、雇用や利益を持続的に獲得する広範な経済活動が、観光地域マネジメントの対象であると考えることができる。

　観光地域マネジメントは、**観光が、地域のバリューチェーンが外につながる重要な輪**であることを意識し、観光を地域の自然、人、文化や、一次、二次、三次産業と一体で考えることが必要である。

　バリューチェーン（価値連鎖、value chain）とは、チェーン（くさり）のイメージのように、企業などが価値を連鎖的なプロセスで生むことである。

　著名な経営学者であるポーター（M.E.Poter）は、バリューチェーンという概念を提示した[4]。バリューチェーンの要素には、主活動としての購買物流、製造、出荷物流、販売・マーケティング、アフターサービスなどのサービスと、その支援活動としての全般管理・企業内インフラ、人事・労務管理、技術開発、調達活動などがある。その上で、図3-2のような、企業が価値を作る各プロセスの活動と、その相互関係を検討する必要があるとした。なぜなら、同じ業界の企業でも、バリューチェーンは会社ごとに異なっており、したがって、企業の競争力を考える際には、会社全体をひとまとめにして付加価値分析やコスト分析をするだけでは足りず、会社ごとに、その会社のバリューチェーンがどのようになっているか分析しなければならないとした。

　企業は、顧客から対価を受け取り、利益を得ることで持続可能となる。製造

業は、図3-2のバリューチェーンのどこで顧客から対価を受け取っているであろうか？

　まず、生産して品質をチェックした製品（新品）を販売する際に、コストより高い対価を得て、従業員の給料を支払ったり、工場設備の借金を返済したり、研究費用をまかなったりできれば利益が出る。売れた製品が壊れて補修を求められ、補修部品や修繕サービスが売れれば、さらにその対価を得ることができる。中古品が売れれば、新品の販売拡大に結びついたり、新品の価格を高くできたりする可能性がある。

　経済学では、企業は価値のある**商品**を供給して利益を得るとされ、**商品は財とサービス**に分けられる。財とは形のあるモノで、サービスとは形がなく、何か価値のあることをしてもらうことをいう。顧客の立場からは、購入して使用することで、購入しないよりも高い満足を得られるなら対価を払って購入する。その満足は、中古品として売り払ったり、廃棄したりするまで得ることができる。使用や経年による劣化により、保有する満足度が持っている費用を下回った場合には、顧客は中古品として売り払ったり、廃棄したりする。

　観光による地域マネジメントは、飲食、宿泊、交通といったサービス業。食材、加工食品、お土産といったモノを販売する飲食、小売業、農業、漁業、製造業がかかわる。観光による地域マネジメントも、多段階のマネジメントが必要となる。例えば、観光コンテンツとして、コミュニティのお祭りを外部の観光客に見せるのか、見せる場合にどのように見せるのかなどの**個々の事業のマネジメント**と、**地域全体としてのマネジメント**、すなわち、外部の観光客にどうマーケティングしていくのか、インバウンド、国内観光客の市場につながるバリューチェーンの中で、どのように利益を得るのか、どのような投資が有益

[図3-3]　観光のバリューチェーン例

自然 → 人 → コミュニティ → 一次産業 → 二次産業 → 観光業 → 観光客

なのかなどをマネジメントしていくこととなる。

　図3-3に示すように、観光のバリューチェーンとは、観光に関わる地域内の各プロセスが連続的に関連して、観光によって地域が雇用と利益を獲得する仕組みである。

　　［推薦図書10］観光庁『観光白書』（各年度）

［注］
1)　ぐるなび https://gri.gnavi.co.jp/activity/2013/130227-013141.html
　　　https://www.youtube.com/watch?v=mJkhoL-YyGc　（2020/05/18取得）
2)　https://gri.gnavi.co.jp/activity/2012/120423-013138.html　（2021/01/24取得）
3)　ロイター https://jp.reuters.com/article/idJPJAPAN-21853920110623　（2020/05/18取得）
4)　Porter（2003）（ポーター（著），竹内（訳）（2018））

第**2**節 近年の観光地域
マネジメントの事例

（1）高山市、飛騨市（岐阜県）

　飛騨高山観光協会は、五六豪雪（昭和56〈1981〉年正月の豪雪）で、観光に甚大な被害が出たことを契機に、現在にまでつながるインバウンド観光戦略を企画し、継続して実行している。

　蓑谷 穣 氏（1932-2016）は、1982〜2012年、飛騨高山観光協会会長を務め、五六豪雪の後の飛騨高山の観光について、仲間と一緒に考え、行動した。その経営戦略は、少子高齢化で縮小する国内観光市場で成果を上げるのは厳しいが、インバウンド市場はこれから伸びるので戦いやすいという市場観察を出発点にしている。著者は、観光庁の部長として、2013年8月、蓑谷氏にお話をうかがい、その後、親しく懇親する機会を得た。

　蓑谷氏は、韓国、台湾、中国、香港などの東アジアのインバウンド市場を、仲間とともに数年間かけて現地に行って調査して、現地の旅行エージェントなどの考え方を聴いて回った。その末に、対日感情が良く、安定した来客が見込める台湾にターゲティングすることを決めた。マーケティングの考えに基づく観光地域マネジメントであり、それを継続実施してきている。飛騨高山は決して大きな町ではないので、政治情勢などで顧客が増減すると、宿泊業や飲食業が耐えられないだろうと考えたという。

　高山市では、1970年から地元独自の観光統計調査を開始し、交通、旅館事業者の協力による観光入込客数調査や、宿泊施設が連携して宿泊客数調査などを行っており、長年の推移や国籍や性別ごとのデータの蓄積を地域の観光マーケティングの基礎としている。取得データは、市民満足度指標、観光入込客数、方面別宿泊客数、交通機関の利用状況、Web サイトアクセス状況、観光施設

別入込状況、来訪回数、再来訪意向、観光消費額等に及ぶ[5]。

　高山市は、STPマーケティング（セグメンテーション、ターゲティング、ポジショニング。コラム8参照）による顧客のターゲティング、データに基づく観光地域マネジメントを、1980年代から継続実施している。その継続の力は、2014年ころ、他の自治体の観光担当者が台湾の旅行エージェントに営業に行ったところ、「どこも飛騨高山さんが食い込んでいてどうにもならなかった」という話が出るくらいであった[6]。

コラム8

STP戦略、STPマーケティング

　STP戦略、STPマーケティングは、まず市場を細分化（セグメンテーション，Segmentation）し、次にその中から自社がフォーカス（集中）するべきターゲットセグメント（細分化した市場の中で、自社が狙う対象部分）を決定（ターゲティング，Targeting）し、そしてターゲットセグメントに対して、自社のブランドを顧客のニーズに合わせると同時に、競争企業・ブランドと差別を行い、顧客の記憶の中に自社製品・ブランドを位置づける（ポジショニング，Positioning）戦略やマーケティング手法のこと。米国の経営学者のコトラー（Philip Kotler[7]）が提唱した[8]。

　コトラーは、企業が、市場・マーケットの全員を満足させられることはほとんどない。多くの企業の過ちは、自社が提供するモノ・サービスの見込み客を実際より多く見積もっていることだ。市場細分化（Segmentation）の方法は三つあり、第一は、性別、年齢など**人口統計的な分類**をすること、第二は、夕食のための買い物をさっと済ませたい女性のように**ニーズによって分類**すること、第三は、宅配で食品を買う女性のように**行動によって分類**することだ[9]としている。

　ターゲティング（Targeting）をしないことについて、コトラーは、「とりあえず市場に製品を出しておいて、売れるように神に祈るに等しい愚かな行為だ。業界や専門分野を絞り（Targeting）、そこで高い評価を受けている人物を通じてユーザーに売る方が効果的である。どんな企業でも、**十分にTargetingすれば市場で最高の位置を占めることは可能である**[10]」としている。

　ポジショニング（Positioning）は、もともと、スーパーマーケットなどで

客の目の高さの位置（Position）に商品を置く（Positioning）という意味であったが、見込み**客のマインド（気持ち、心、記憶）のどこに自社製品を位置付けるか**（Positioning）というマーケティング用語となった。例えば、同じ自家用車でも、最も安全な車 Volvo、究極のドライビング・マシン BMW、最高の小型スポーツカー Porsche などで消費者にアピールしていることがポジショニング（Positioning）の例である。それぞれの分野で最高のブランドしか、人々のマインド（記憶）には残らない。

　ポジショニング（Positioning）の方法は、三つに分類される。第一は、製品が、**その分野で最高**と評価されること。第二は、**カスタマーオペレーション**（Customer operations）、すなわち、顧客サービスを実現する社内のプロセスが効率的で優れていること、第三は、**顧客との親密さ**（Customer intimacy）、すなわち、顧客の希望に最もよく応えてくれる企業だと評価されることである。コトラーは、「独特で容易にマネできないポジショニングを占めることが効果的だ。しかし、その効果は経済情勢など様々な変化の影響を受けるので**永久的なものではない**[11)」としている。

　高山市の観光コンテンツの強みは、第二次世界大戦で空襲を受けていないため、江戸時代の街並みが残っていることがインバウンド・外国人観光客に評価されていることである[12)。高山陣屋（国指定史跡）は、江戸時代の代官所の建物が残されている。例えば、明治になって、飛騨県庁、裁判所などに使用されたが、現在は江戸時代の内装に戻している。

　高山祭りの豪華で "からくり[13)" が施された山車も江戸時代のまま補修、保存されている。林業が盛んで、木材加工技術に優れ、天領で豊かであったため豪華な山車が多数あり、祭りの日以外でも外国人を楽しませている。また、晩秋からの雪は、台湾人など南方の外国人に対してはキラーコンテンツ（決定的な影響力のある商品やサービス、情報）であり、秋に山で雪が降ると、外国人観光客が大喜びして、夕食時になっても団体バスがホテルに戻って来られないほどであるという。

　その結果、交通が不便であるにもかかわらず、伝統的な日本を感じられ、外国人観光客が訪れたい場所と評価され、ゴールデンルート（初心者向けの日本の人気観光ルート。特に、東京〜箱根〜富士山〜京都〜大阪と巡るルート[14)）にも組み込ま

[写真3-1]
高山の街並み

提供：高山市[15]

れた。

　高山市の隣の飛騨古川の株式会社美ら地球の山田拓代表取締役（1975年生ま
れ）は、里山や古い街並みをめぐるサイクリングによる着地型観光[16]を2009年
から行っている。飛騨地域の自然や伝統、生活文化に触れられるように、外国
語ができるガイドの案内で、風景、建物やモノの文化的背景を理解しながら、
自転車で町や里山をめぐることが、外国人観光客から人気となっている。その
ほか、飛騨地域の食文化に触れるウォーキングツアー、料理研究家を招いての
郷土料理体験プログラム、棚田の広がる農村集落における冬季スノーシューツ
アーなどを、世界中から飛騨を訪れる旅行者に対して提供している。持続的な
事業運営を目指し、通年でのツアー提供を行っている。

　山田氏は、外資系コンサルティング会社勤務の後、夫婦で525日の世界放浪
を経験し、帰国後は田舎暮らしを希望して飛騨市に移住した。外資仕込みのマ
ネジメント手法で、自ら着地型観光事業を経営するほか、各地での講演や人材
育成研修にも精力的に取り組み、国内外の地域振興に貢献している[17]。

　これらの内容は、[推薦図書11]にあげた山田氏の著作、飛騨市、観光庁の
ホームページ等も参照してほしい。

[推薦図書11] 山田拓（2018）『外国人が熱狂するクールな田舎の作り方』新潮新
　　　書

[表3-1] 高山市の観光地域マネジメントの経緯[18]

1692年	飛騨が天領（徳川幕府直轄）となり、中枢施設として高山陣屋開設
1969年	この年まで、高山陣屋を県事務所として利用
1972年	市街地景観保存条例制定
1981年	五六豪雪
1982年	観光協会を任意団体から社団法人化。～ 2012年　蓑谷穆会長
1986年	国際観光モデル地区指定。国際観光都市宣言
1988年	'88飛騨・高山食と緑の博覧会
1996年	Web サイトによる情報発信開始。バリアフリー・モニターツアー開始 高山陣屋を江戸時代の姿に復元（26年を要する）
1998年	繁体字（台湾用）観光パンフレット作成
1999年	飛騨・高山コンベンションビューロー設立。国際会議観光都市指定
2001年	飛騨・高山ふれあい21事業で観光客300万人超え 町並み（国選定重要伝統的建造物群保存地区）の世界文化遺産登録を目指す
2002年	中国雲南省麗江市と友好都市提携
2004年	第11回優秀観光地づくり国土交通大臣賞受賞
2005年	旧高山市と周辺9町村が合併し高山市に
2007年	ミシュラン・オレンジブックで三つ星
2012年	飛騨高山ウルトラマラソン（72キロ、100キロ）開始

※バリアフリーツアーとは、杖や車いすが必要な人を対象とした旅行企画。それに準
じた長い距離を歩かない、ゆとりを持った旅行企画も提供されている[19]。

（2）由布市（大分県）

　1971年、旧湯布院町の玉の湯の溝口薫平氏、亀の井別荘の中谷健太郎氏、山
のホテル夢想園の志手康二氏の3人が、9か国50日間の欧州旅行に行き[20]、現
在の由布市の繁栄につながる構想を企画した逸話は有名である。

　その構想の中で、マネジメントの視点から優れていると考えられるのは、第
一に、地域への受入れ宿泊者数の上限を設定したことである。単価を高く設定
して十分にもてなし、宿泊客数の量は追わないで、季節や曜日で宿泊者数が変
動しない平準化を目指したという。景気が良いとき、災害がないときの湯布院
の高級旅館は、曜日を問わずほぼ満室になっている。需要が平準化できていて
閑散期がないため、高い利益率で稼働し続けられる。湯布院に泊まれなかった

客は、隣の別府に多様で数多くの温泉旅館があるので、代替手段はとれる。日本最大級の温泉地である別府が隣接していることを活かす経営戦略であるとも言える。宿泊者数が平準化されれば、従業員や設備が常にフル稼働するので、生産性が最も高くなり、収益が上がり、給与を高くできて、施設改善のための投資もできる。

　第二に、宿泊で利益を得たら、地元の農産品を使って付加価値の高い料理を出すことに決めたことである。

　これらの経営方針と地域マネジメントにより、由布市では宿泊業の高稼働率、高利益を達成し、宿泊業が域外から得た利益で域内の農業、食品加工業か

コラム9

平準化

　平準化というキーワードは、海士町のCAS冷凍事業、旧湯布院町の方針で出てきたほか、後述の宿泊、お土産店、飲食店など観光関連産業の収益改善のキーワードとしても登場する。

　経営、生産管理における平準化という概念は、トヨタ生産方式で、製造業の工場の生産ラインの前工程と後工程の生産が同速度で行われ、スムーズに生産が進むようにすることを意味する。生産のペースが平準化されれば、それに見合った人・設備・材料を用意しておけば、いつも安定して必要な物を造ることができる。そうでない場合、例えば、前工程が遅いと、後工程の人員は出勤してもすることがなくて人件費が無駄になってしまう。前工程が早いと、後工程で処理しきれずに、中間製品が工場内に在庫として積み重なり、スペースの無駄、前工程の人員の労力の無駄になる。前工程と後工程の生産が同速度で安定的に行われると両工程とも生産性が最高になる[21]。

　地域マネジメントでも、人や設備を時間軸で有効に活用する平準化の概念が、ビジネスモデルを黒字化するために重要な役割を果たすことが多くある。例えば、ある地域への観光入込客数が月ごとに大きく変動する状況があったときに、客が少ない月に行政や地元の団体の協力で客を呼び込むイベントなどを打つことや、繁忙期のイベントの時期をずらして、ピークを低く長くすることなどが実際に行われ、旅館・ホテルや交通機関の負荷軽減、稼働率向上、生産性向上、利益向上に貢献している。

[写真3-2]
「ゆふいん
料理研究会」
の勉強会

出所：
観光庁[22)]

　ら買い付ける、あるいは宿泊業自身が食品加工業に参入することで、旅館など
の三次産業だけでなく、食品加工業などの二次産業、農業、牧畜業などの一次
産業も含めた地域の雇用と利益を、持続可能な状態で実現する地域マネジメン
トを実現している。

　由布院温泉は一つの旅館や一つの観光施設だけで成り立つものではなく、す
べての旅館が一緒になって観光まちづくりを進めていくことが重要、由布院観
光はまず地域づくりがあってこそ成り立つという考え方がある。特に重視され
ているのが由布院の田園風景、静けさ、緑の空間である。これらの景観を維持
するため、観光は農業に貢献しようとする考え方がある。由布院で牛を食べる
意味、畜産振興と牧野なくして由布院は語れないことを参加者に伝えていくイ
ベントとして「牛喰い絶叫大会」を実施している。

　ゆふいん料理研究会は、1998年に旅館「草庵秋桜」の新江憲一氏を中心に発
足した。自分の旅館だけではなく、地域全体がレベルアップしなければならな
いといった思いのもと、地域とのつながりを持ち、料理人としての腕を磨いて
いくために、由布院の旅館の料理長たちが定期的に集まっている。また、地域
のイベントにも積極的に参加することで、地元や料理人同士の情報交換の場と
なっている。由布院温泉の料理に対する評価は高い。料理人の意識の向上を図
った他に、もう一つ大きな功績として挙げられるのが「由布院で食べるものは
由布院で育った食材を使おう」といった「地産池消」の考え方を広め、地元農

[表3-2] 由布市の観光地域マネジメントの経緯[23]

1925年	鉄道駅誘致。由布院盆地は通らずショートカットする当初計画を、地元の誘致活動で湯布院町の市街地にまで入り込むルートに変更し「由布院駅」を誘致した。これがなければ、現在の"特急ゆふいんの森号"もなかったかもしれない。
1952年	由布院盆地ダム建設に反対
1955年	保養温泉地構想開始
1971年	「明日の由布院を考える会」の中核である若者3名（志手康二、溝口薫平、中谷健太郎）が、西ドイツの保養温泉地を視察
1972年	自然環境保護条例。ゴルフ場や、大手企業による開発を拒否
1976年	牛喰い絶叫大会開始
1998年	ゆふいん料理研究会。旅館の料理の向上と地産地消
2005年	由布市（挾間町、庄内町、湯布院町の3町合併）

家とのつながりを強めたことである。農家から、料理人が今まで使ったことのないような食材を持ち込まれる。農家は「自分たちの野菜はこんなふうに使われているのだ」と、研究会を通して料理人と農家の距離が縮まり、由布院の地産地消に大きく貢献しているという[24]。

　これらの内容は、[推薦図書12]にあげた著作、由布市、観光庁のホームページ等も参照してほしい。

　旧湯布院町のすばらしい点は、先述の著名な3人だけではない。1925（大正14）年に鉄道が敷かれる際に、地元に駅を作るように運動して誘致したり、ダムを造られそうになったときに反対して乗り切ったりと、その先代、そのまた先代にも、ビジョンを持って、ビジョンに反することには敢然と戦って勝ち取ってきた人たちがいたことだ。もっとも重要な地域資源は人であり、しかも、一人、一代ではなくて、世代を超えて持続する人材のつながりであることがわかる。

[推薦図書12] 大澤健，米田誠司（2019）『由布院モデル 地域特性を活かしたイノベーションによる観光戦略』学芸出版社

　由布市　http://www.city.yufu.oita.jp/wp-content/uploads/2018/07/sinyufuinonsenkankokihonkeikaku.pdf （2020/05/20取得）

（３）直島町（香川県）

　直島は国内で有名であるよりも、「Naoshima」が世界で有名である度合いの方が強いかもしれない。インスタグラムで #naoshima を検索すると、多くの外国人観光客が魅了され、心から楽しんでいることがわかる。

　直島は北部には三菱マテリアル直島製錬所があり、島民で家族や親せきに三菱マテリアル関係者がいない人は稀といわれる。1986年、福武總一郎氏が先代の急死でベネッセ社長になったときに、先代の遺志を継いで直島の南部の風光明媚な場所に国際キャンプ場をオープンさせた。しかし、それだけではなく、世界的に有名な建築家・安藤忠雄氏や"現代アート"のアーティストに依頼して、ベネッセハウス、現代アート美術館や作品を島に展開していった。

　直島の本村地区は古くから島の中心地として栄えた城下町で、立派な門構えや柱・梁・蔵を有する古い家屋が多数存在する。しかし、歳月の流れの中で住人が去り廃屋と化すものもあった。その一軒をベネッセが買い取って家屋を修復し、現代アート作品を恒久展示して、1998年、家プロジェクトは始まった。以降、適材適所に建築家やアーティストを起用して作品を作った。

　ベネッセのこのプロジェクトの大きな意味は、第一に、島民が昔からなじんできた施設がアートとしてよみがえったことによる現代アートへの親近感を醸

[写真３-３] 草間彌生「赤かぼちゃ」（2006年 直島・宮浦港緑地）

提供：直島町
写真：青地大輔[25]

[写真3-4] 家プロジェクト「はいしゃ」大竹伸朗設計

提供：ベネッセ
アートサイト直島[26]

成した点（特に家プロジェクト「角屋」制作にあっては島民も楽しみながら参加した）。
第二に、通過地点であった本村地区が来訪者の滞留拠点に変わることにより島
全体の活性化が見え、民宿やカフェなどの来訪者の受入れ施設が民間サイド
で整備され始めた点である。これらはその後、様々な効果を生んでいった[27]。
アート作品にはベネッセが運営する説明員がいて、観光客にアートの意味を解
説したり、楽しみ方を伝えたりしている。
　これらの内容は、[推薦図書13]にあげた著作、観光庁の資料等も参照して
ほしい。

　奥田俊彦氏（1936年、直島町生まれ）は、1955年三菱マテリアル株式会社入社。
1996年定年退職、その後、2003年、NPO法人直島町観光協会の事務局長に就
任し、副会長を経て2011年に会長となった。観光ボランティアガイドの会設立
や「007記念館」の設営、各種特産品開発に注力。さぬき映画倶楽部・瀬戸内
国際芸術祭直島実行員会にも参画した[28]。奥田氏によれば、**直島には三菱マテ
リアルで大企業の仕事の仕方を覚えた人が多くいるため、島の人たちで何かし
ようとするときに、段取り良くきちんと仕事ができることが多い**という。これ
は、1917年に三菱の製錬所の誘致に成功したことによる島の財産だという。著
者は、2015年4月、観光庁の部長として奥田氏に話をうかがった。
　直島に、地元の魚介類を食べさせる店がなかったことから、奥田氏は、ご子

[表3-3] 直島の観光地域マネジメントの経緯

1156年	保元の乱で敗れた崇徳上皇が直島に流され、島民の純朴さ、素直さを賞賛して、直島と命名
1917年	三菱合資会社 中央製錬所（現　三菱マテリアル直島製錬所）誘致
1986年	福武總一郎氏、先代の急死でベネッセ社長に
1989年	先代の遺志で直島国際キャンプ場をオープン
1992年	ベネッセ美術館、ホテル、レストラン開館
1998年	家プロジェクト開始
2000年	世界的な旅行雑誌が「世界で訪れるべき7つの場所」に選定
2003年	奥田俊彦氏が三菱マテリアル退職後、直島町観光協会の事務局長に就任
2004年	地中美術館開館
2005年	海の駅なおしま開設
2010年	李禹煥美術館開館

息に関西で修行してもらい、夫婦で営んでいた喫茶店を改装して観光客向けの活き作り料理店を開店した。夕刻、著者がそこで食事をしていると、イギリス人の若い男女が来たので話をすると、「新婚旅行で来た。成田空港からまっすぐNaoshimaに来た。今日はベネッセハウスに泊まる」とのことであった。

[推薦図書13] 秋元雄史（2018）『直島誕生　過疎化する島で目撃した「現代アートの挑戦」全記録』ディスカヴァー・トゥエンティワン
観光庁（2011）『地域いきいき観光まちづくり2011』観光庁

（4）その他の地域の事例

本節に掲載した以外の地域の事例も、下記の観光庁の事例集[29]や様々な著書、論文で学ぶことができる。
・観光地域づくり事例集～グッドプラクティス2018～（2018年）
・DMO取組事例集（2018年）
・観光地域づくり事例集2015～日本を元気にする地域の力～（2015年）
・東北12の物語（2013年）

・地域いきいき観光まちづくり2008（2008年）

・地域いきいき観光まちづくり2010（2010年）

・地域いきいき観光まちづくり2011（2011年）

・地域いきいき観光まちづくり－100－（2006年）

［注］

5）観光庁　DMO取組事例集（2018年）（p.77）

6）著者は、2013-15年、国土交通省観光庁 観光地域振興部長に在職しており、他の自治体から、この話を聞いた。

7）マーケティング論の第一人者とされる Philip Kotler。ノースウエスタン大学ケロッグ経営大学院教授。主な著書に「マーケティング原理」「マーケティング・マネジメント」がある。出所：株式会社トライベック・ブランド戦略研究所ブランド用語集

8）マーケティング用語集、ブリタニカ国際大百科事典 小項目事典

9）Kotler（2003）（恩藏ほか訳（2003））（pp.204-205）

10）Kotler（2003）（恩藏ほか訳（2003））（pp.220-221）

11）Kotler（2003）（恩藏ほか訳（2003））（pp.172-175）

12）https://www.youtube.com/watch?v=-qZpZFcxSK8、https://www.youtube.com/watch?v=gwmmPk2WWwA　（2020/05/20取得）

13）朝日新聞 https://www.youtube.com/watch?v=ozVEmoyvK_o　（2020/05/20取得）

14）朝日新聞出版 / 知恵蔵 mini

15）http://kankou.city.takayama.lg.jp/2000013/2000061.html　（2021/01/22取得）

16）https://www.youtube.com/watch?v=G7Y4v-LwjkY　（2020/05/20取得）

17）観光庁 https://www.mlit.go.jp/common/001237079.pdf　（2020/05/20取得）

18）飛騨市 https://www.city.takayama.lg.jp/s/_res/projects/default_project/_page_/001/004/030/shiryou7.pdf　（2020/05/20取得）

19）クラブツーリズム https://www.club-t.com/theme/barrierfree/service.htm　（2020/10/29取得）

20）玉の湯 https://www.tamanoyu.co.jp/magazine/history02.html　（2020/08/30取得）

21）中山，秋岡（1997）（p.64）

22）観光庁 https://www.mlit.go.jp/common/000213069.pdf　（2020/05/20取得）

23）由布市 http://www.city.yufu.oita.jp/wp-content/uploads/2018/07/sinyufuinonsen-kankokihonkeikaku.pdf　（2020/05/20取得）

24）観光庁 https://www.mlit.go.jp/common/000213069.pdf　（2020/05/20取得）

25）（公社）香川県観光協会 https://www.my-kagawa.jp/shimatabi/feature/shimatabi/naoshima

26）ベネッセアートサイト直島 https://benesse-artsite.jp/art/arthouse.html　（2021/03/11取得）

27）観光庁（2011）

28）観光庁　地域いきいき観光まちづくり2011

29）観光庁　観光地域づくり事例集
https://www.mlit.go.jp/kankocho/shisaku/kankochi/ikiiki.html　（2020/05/25取得）

第**3**節 観光地域マネジメントの目標と手段
──マーケティング、コンテンツ、ロジスティクス──

（1）観光地域マネジメントの目標

　観光地域マネジメントの目標は、観光という手段で地域が雇用や利益を持続的に獲得することが中心ではあるが、地元の住民と域外の人々との交流や、地元の人たちが自分たちの地元に誇りを持てること、**交流人口やUJIターンの拡大につながること**なども目標となる。

　観光庁が2014年にとりまとめた「国内外から選好される観光地域づくりの推進に関する検討業務報告書[30]」では、**観光地域づくりに必要な目標の項目と、項目ごとの達成レベル[31]** を表3-4のように提示している。

　同報告書では、第一に、**他地域と差別化できるブランド・コンセプトを作る**ことを指摘している。ブランドとは、消費者がモノやサービスを欲する際のイメージであるので、自分たちの地域が、観光客から見て、行きたいと欲するイメージをどう作るのか考えて、作り上げる必要性を指摘している。そのために、地元の地域独自の価値に関する理解を深め、その地域独自の価値を域外の人にわかりやすく説明し、共感を得てもらい、来てもらえるようにすることが必要である。

　第二に、**地域の魅力の提供と受入れ**である。景観の保全、地域ならではの食の提供、宿泊施設の魅力、滞在交流型観光などの地域の魅力の創造、提供に加えて、観光マーケットや来訪者に対するワンストップ窓口、地方空港、ターミナル駅からの移動手段、サービス品質のチェックと改善、外国人受入れの準備である。

　第三に、**観光地域マネジメント**である。マネジメントを担う人材の確保、持

[表3-4] 観光地域マネジメントの目標の項目と達成レベル

	観光地域マネジメントに必要なこと	進んだ段階	導入段階
	他地域と差別化された地域独自の価値	地域独自の価値を明確に説明できる。地域らしさのコンセプトが明確。	地域独自の価値を深める取組みを行っている。
地域側の取組み	景観、地域資源の保全	景観、地域資源の保全の仕組みを持ち、継続的な取組みをしている。地域らしさを体感できる。	景観、地域資源の保全により、地域らしさを体感できる。
	食の魅力	宿泊施設、飲食店、土産物店などで、地域ならではの食を提供する仕組みを持ち、継続的な取組みをしている。	伝統的な食文化を次世代に継承する取組みを行っている。
	宿泊施設の魅力	宿泊施設で、地域の案内、滞在プログラム・コンテンツを提供し、地域の滞在拠点の役割を担っている。	宿泊施設で、地域らしさを体感できる場を提供している。
	滞在プログラム・コンテンツの提供	2泊3日以上の滞在が十分な滞在プログラム・コンテンツが、ニーズに通じて、昼も夜も提供されている。	滞在プログラム・コンテンツの体験者から高い評価が得られている。
	来訪者、市場向けのワンストップ窓口を作る	宿泊施設、飲食店、土産物店、滞在プログラム・コンテンツなどの情報をワンストップで対応できている。	提供内容、サービス内容の充実や、苦情対応に取り組んでいる。観光案内所に地域らしさを演出している。
	二次交通対策	主要空港、駅から観光地への二次交通が確保されている。	主要空港、駅からの移動利便性を高める工夫がされている。
	サービス品質、安全性	宿泊施設、ガイドなどの品質保証制度などを継続利用して品質を保っている。	宿泊施設、ガイドなどの品質保証制度などへの地元の参加が増加している。
	外国人対応	観光庁の評価者チェックシート https://www.mlit.go.jp/kankocho/page08_000062.html などでチェックしている。	一定水準の外国人対応が、地域で一体的に整備されている。
	観光地域マネジメントの責任者と組織	観光地域マネジメントの責任者、担当者が複数いる。観光地域マネジメントの組織が法人化されている。	マネジメントの責任者の候補者、次世代人材の育成に取り組んでいる。
	顧客に愛され続ける観光地域戦略	観光地域戦略が策定されている。ターゲットインバウンド、マーケティングを行っている。仕組みができている。	顧客に愛され続ける観光地域の認知度の向上、維持のためのPDCAを回している。
	顧客に愛され続ける観光地域戦略を内外で共有し、発信	観光地域戦略が地域内の多様な関係者で共有できている。地域一体で、観光地域戦略に基づいた情報発信を行っている。	国内外での認知度の向上、観光地域戦略に基づいた観光地イメージの発信、ターゲットごとのマーケティングに取り組んでいる。
	地元住民の理解と参加	行政・民間、1次・2次・3次産業、隣接地域が一体となっていて、そのための仕組みがある。持続可能に行っている。	行政・民間、1次・2次・3次産業、隣接地域の一体的な取組みが継続している。
来訪者の訪問、評価	来訪者の満足度、評価	地元住民が地域に愛着と誇りを持っている。観光地域マネジメントに参加できる意識やコミュニティがあり、評価が高い。	地元住民の観光地域への具体的な参加が継続している。

出所：観光庁 https://www.mlit.go.jp/common/001050490.pdf （2020/05/18取得）から著者作成

続可能な組織・人材体制を用意し、行政や地元関係者と連携しながら観光地域マネジメントを継続的に行って、ノウハウを蓄積していくことが必要である。観光地域戦略を作り、地元関係者で共有し、**観光市場のどこにターゲティングするのかを明確にしたマーケティング**を行う。地元住民が、地元に愛着と誇りを持って主体的に観光に関わるような意識醸成やコミュニケーションにも取り組む観光地域マネジメントを行う。その結果、国内外の来訪者の満足度を上げ、リピートを増やすようにマネジメントする。としている。

　観光地域マネジメントでは、マーケティング、コンテンツ、ロジスティクスが重要である。以下、順にみていく。デービット・アトキンソン氏が、『新・観光立国論』（2015）で、マーケティング、コンテンツ、ロジスティクスの重要性を指摘しているが、著者もそれ以前から指摘していた。

　　[推薦図書14] 観光庁（2014）『国内外から選好される観光地域づくりの推進に
　　　　　　　　関する検討業務報告書』観光庁

（2）観光マーケティング──市場、DMO──

（2）-1　マーケティング

　マーケティング（marketing）とは、「売れる仕組みを作ること」であり、企業などが円滑に販売できる体制を整えるための一連の活動を指す。顧客側の視点からは、企業などによる問題解決のための製品やサービスの提供活動としてとらえられる。

　企業などは、顧客の期待に応えるために、何が顧客にとっての課題であるかを調べる市場調査、価値あるものを提供する戦略、顧客や社会との良好な関係構築などの計画と実行が主たる活動となる[32]。

　製品やサービスを、顧客に購入してもらうために、様々なマーケティング活動が実行される。このマーケティング活動の目的は、自分たちの商品をより多くの消費者に認知してもらい、最終的に購入へと結びつけることだが、単に大々的な広告宣伝をすればよいというものではない。

　第一に、顧客は誰か、誰に売るのかという狙い（ターゲット）を明確にする必要があり、コラム8で紹介したSTP戦略、STPマーケティングによって、誰に対して（セグメンテーションとターゲティング）どんな価値を提供すべきなのか（ポジショニング）を決めることが最も重要とされる[33]。

　第二に、様々な要素の組み合わせ（マーケティング・ミックス）によって、マーケティング活動は成り立つ。対象とする顧客層や市場の競争状況などによって、様々な要素をどう組み合わせていくかを考えるのがマーケティング・ミックスである。

コラム10

コトラーのマーケティング・ミックス

　コトラーは、サービスの特性を考慮したマーケティング・ミックス要素として、4Pに3P（People、Physical Evidence、Process）を加えた、以下の7Pを提唱している。これらの要素の一部にばかり資金を使うのではなく、バランスよくミックスさせる必要性を説いたのが、マーケティング・ミックスの語源である[34]。コトラーが示した実務への応用例は、104ページ参照。

1. プロダクツ（Products）　サービスの質、特性、サブ・サービス、パッケージ、ブランド、保証など
2. 価格（Price）　価格水準、割引など
3. 場所・流通チャネル（Place）　サービスの提供拠点、交通、中継点など
4. プロモーション（Promotion）　広報、広告などによる販売促進、人的コミュニケーション、インセンティブ（誘因）など
5. 人材（People）　サービス・マーケティングにおいて、人材が重要な要素である。
6. 物的環境（Physical Evidence）　サービスの提供は、顧客にとっては「体験」である。提供される場の施設や設備、雰囲気などの物理的な環境は「よい体験」にとって重要な要素である。
7. 提供プロセス（Process）　サービスは、生産と同時に消費が進行するため、そのプロセスの管理では、提供する側の従業員と顧客の双方を意識することが必要になる[35]。

4 P 分析は、Product（製品）、Price（価格）、Place（流通経路）、Promotion（広告など）に注目する分析で、メーカーを対象としたモデルであるとともに、企業など事業者の立場から見たマーケティング要素であるとされる。

4 C 分析は、顧客あるいは市場志向に立つ考え方で、Customer Value（顧客価値）（Product に対応）、Customer Cost（顧客コスト）（Price に対応）、Convenience（利便性）（Place に対応）、Communication（コミュニケーション）（Promotion に対応）である。

このようなマネジメント、マーケティングの理論、手法は、製造業を中心とする営利企業で実践され、研究されてきた。これらは、地域マネジメントに対しても応用できること、地域にとって、市場は、地元商圏、国内市場、海外（世界）市場の 3 種類があることを第 1 章で示した。観光地域マネジメントにおいても、三つの市場を意識しながら、ターゲットを明確にすることが重要である。

飛驒高山の観光マネジメントの事例では、インバウンド、特に台湾にターゲティングする STP マーケティングを、1980年代から継続実施して成功している。旧湯布院町の事例では、高級旅館に泊まって、高価格・高付加価値の和食を楽しみ、評価して対価を支払う客は日本人中心であり、この市場にターゲティングしている。

(2)-2　日本版 DMO

DMO（Destination Management Organization　直訳で観光地マネジメント組織）とは、観光物件、自然、食、芸術・芸能、風習、風俗など当該地域にある観光資源に精通し、地域と協同して観光地域づくりを行う法人のことである[36]。

観光庁の日本版 DMO 事業の概要は、地域の「稼ぐ力」を引き出すとともに地域への誇りと愛着を醸成する「観光地経営」の視点に立った観光地域づくりの舵取り役として、多様な関係者と協同しながら、明確なコンセプトに基づいた観光地域づくりを実現するための戦略を策定するとともに、戦略を着実に実施するための調整機能を備えた法人であるとしている。

このため、日本版 DMO が必ず実施する基礎的な役割・機能（観光地域マーケティング・マネジメント）として、第一に、日本版 DMO を中心として観光地域

づくりを行うことについての**多様な関係者の合意形成**。第二に、各種データ等の継続的な収集・分析、**データに基づく明確なコンセプトに基づいた戦略**（ブランディング）の策定、**KPIの設定・PDCAサイクルの確立**。第三に、関係者が実施する観光関連事業と戦略の整合性に関する**調整・仕組み作り、プロモーション**が挙げられる。また、地域の官民の関係者との効果的な役割分担をした上で、例えば、着地型旅行商品の造成・販売やランドオペレーター業務の実施など地域の実情に応じて、日本版DMOが観光地域づくりの一主体として個別事業を実施することも考えられる[37]としている。

　DMOといった**組織を作れば観光地域マネジメントが自動的にできる**ということではなく、これまで解説してきた観光地域マネジメントを実施するメインの組織として、DMOを機能させようという考え方であると言える。

　資格やMBA（経営大学院修士）などの話と似ていて、DMOがなくても、長年にわたって観光地域マネジメントを行ってきた高山市、由布市、直島町のような地域もあるし、DMOを作っても、それを活かして仕事ができているかは、やってみて、結果を見てみないと評価できない。しかし、観光地域マネジメントを学んで取り組む方法としては効率的であると言える。

　[推薦図書15] 藻谷浩介，山田桂一郎（2016）『観光立国の正体』新潮新書

（3）観光コンテンツ ──多様化トレンド、地域資源──

（3）-1　コンテンツ・観光コンテンツ

　コンテンツとは、形式（form）に対して内容（content）を意味する英語である。電子メディアの領域でも、ハードの性能とともに、そのメディアに格納される内容や素材（映像や音楽等）の良し悪しが鍵を握っているので、提供される中身のことを特にコンテンツと呼んで重視する[38]とされる。

　観光もコンテンツが大事である。観光コンテンツは、江戸時代であれば伊勢参り、富士山参り、1970年代の宮崎の観光ブームのときは青島などが、それに当たる。

（3）− 2　観光コンテンツの需要トレンド

　現代は、観光市場のトレンドが**団体旅行から個人旅行**（FIT、Foreign Independent Tour、Free Individual（Independent）Traveler）**に移行してきており、観光客のほとんどが同じコンテンツを見に行く観光**（例えば、有名観光地めぐりなど）**から、観光コンテンツへのニーズが多様化している。自分が好きなものを体験するために、一人、数人、家族で楽しみに行く観光に移行しており、さらには、友人に会いに行く、サッカーを見に行くなどのように、自分が観光しているという自覚すらない人も増えている。**

　国内での観光コンテンツの潜在的需要を探るために、観光庁が**図３−４**の調査を行った。観光コンテンツごとの単価を縦軸にとり、海外・国内での日本人の体験度を横軸にとっている。体験度は、海外で体験した比率から国内で体験した比率を差し引いたものを指標としており、右にいくほど海外での体験が多く、日本での体験が少ない。様々な観光コンテンツの数値を表の中にプロット

［図３-３］訪日外国人の個人旅行 FIT と団体旅行

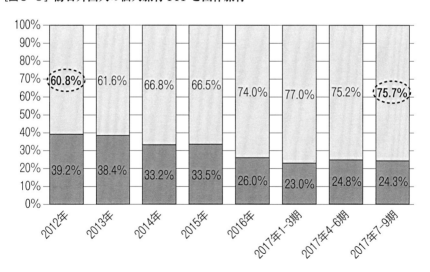

出所：観光庁[39]

注：棒グラフの上部分が個人旅行 FIT。下部分が団体旅行

[図3-4] 観光コンテンツの単価と国内外での経験

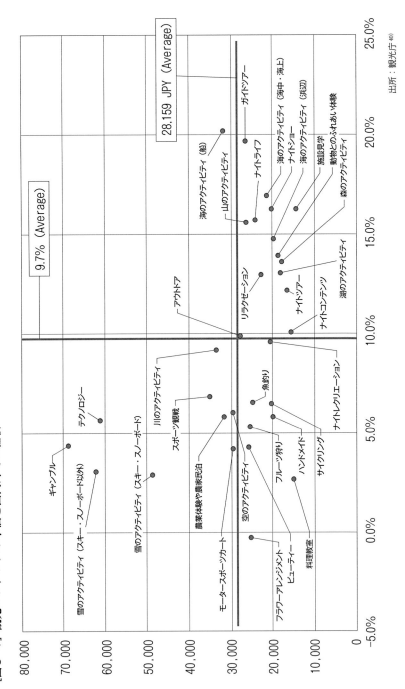

出所：観光庁 [40)]

[図3-5] 観光コンテンツ作りの手法例

出所：観光庁⁴¹⁾

（点描）している。

　日本人が海外では体験しているのに国内では体験が少ない観光コンテンツの中で、単価が高いもの（右上の象限）にビジネスチャンスがあるのではないかとの仮説を立てて、観光コンテンツのマーケティング調査を行ったものである。

　調査対象となった観光コンテンツの種類の多さは、顧客の関心の多様化を受けて、現代の観光コンテンツが多様化していることを示していると言える。

　地域の潜在的な資源は、そのままでは観光コンテンツにはならない。地域の観光コンテンツとは、観光客に向けたマーケティング、商品企画を行い、持続可能な収益を地域が獲得するビジネスモデルを作り上げたもの⁴²⁾であると言える。

　フードツーリズム（Food Tourism）、エンターテインメント、体験型観光、祭り、伝統芸能と観光など、様々な地域資源を活用した観光コンテンツ作りが各地で行われている。これらは、顧客のニーズはあるか、単価をいくらに設定できるか、採算がとれるのかなど、マネジメントの考え方でビジネスモデルを設計して実施する必要⁴³⁾がある。

　観光庁では、地元の潜在的な資源から観光コンテンツを作り出す手法を図3-5のように設定した。この手法では、

　第一に、地元の潜在的資源の中から観光コンテンツになりうるものを発掘する。この際、地域外の目利きの人と、地元をよく知っている人の両方から提案してもらう。

　第二に、潜在的地域資源の魅力を磨いて、観光コンテンツ、観光商品になるように、地元の人たちと地域外の目利きの人たちで話し合い、商品を共同で作る作業をする。地元と地域外の両方の人たちが必要である理由は、地元の人たちは地元をよく知っており、観光商品ができたときに、それを実際に観光客に提供して収益を上げるのは地元の人たちである。ところが、観光客は、地域外から来るので、予備知識や感性、ニーズは地元の人たちとは異なる。地元の人たちだけで観光コンテンツを作ると、顧客の感性やニーズの視座が抜けたまま商品作りが行われ、マーケティングが不完全なまま終わる可能性がある。このため、域外の目利きの助言を商品化のプロセス・過程に組み込んでいる。

　第三に、試行ツアーで、実際に観光客に観光コンテンツの試作品を体験してもらってテスト・マーケティングを行う[44]。これにより、商品の改善や、本格実施に移行できるか判断する。テスト・マーケティング（test marketing）とは、新製品の全国的な導入に先立ち、特定の地域に限定して行われる市場実験。新製品の売上の確度の高い見通しを立てるとともに、マーケティング・プログラムの全側面について事前テストを行い、本格的市場導入のための情報を得ることを意図して実施される。

コラム11

FIT（個人旅行）と着地型観光 —— 観光マーケットのトレンド ——

　岩切章太郎氏の観光でのノベーションの一つは、バスガイドの語りを、地元の歴史、産業、文化を伝えるものとし、当時一般的であった七五調ではなく平易な語り口としたことであった。当時の観光は、団体旅行が中心であり、全員で有名観光地を巡り、温泉宿などに宿泊するといったものであった。**図3-3**で訪日外国人が、2012年以降、団体旅行から個人旅行に移行していることを示したが、日本人観光客もそれ以前から個人旅行に移行してきている。観光庁が**図3-4**で新しい観光コンテンツを探っているのは、地方で、地元の何らかの魅力で個人旅行客の気を引くように試行錯誤していることを反映したものだ。

　「着地型観光」とは、旅行者を受け入れる地域で作られる旅行商品を購入する観光である。その対語である**「発地型観光」**は、主に大都市圏に住む旅行者のニーズを把握した旅行商品を購入する観光で、例えば、旅行会社のカウ

ンターに座って温泉宿のパンフレットを見て夫婦でどこに行こうか検討したり、伝統的な有名観光地を巡る団体旅行は発地型観光に当たる。

　観光マーケットのトレンドが、団体旅行から個人旅行に移行した結果、本物志向や旅先でしか味わえないものを求める傾向が強まり、顧客の好みも趣味や興味で多様化している。そこで、**地元と観光マーケットに精通した人たちが中心となって、工夫をこらして着地型観光の魅力的なプログラムを作る動きが盛んになってきている**。着地型観光は、観光コンテンツによって地元に雇用と利益をもたらす[45]。2016年に発足し、著者が塾長を務める「観光みやざき人財塾」の卒業生の中にも、着地型観光を実践している人たちがいる。

　観光庁も、着地型観光を後押しするため、2012年、旅行業法に地域限定旅行業制度を創設し、観光協会や宿泊施設などが、募集型企画旅行にあたる着地型商品を企画販売できるようにしている。

（4）観光ロジスティクス ── 一次交通、二次交通 ──

　ロジスティクス（logistics）とは、流通部門、物流、流通機構、企業による物資の総合計画・管理、輜重（しちょう）、兵站（へいたん）、補給、後方支援である[46]。

　観光ロジスティクスとは、観光客が自宅から観光地に行って、自宅に帰るまでの交通手段・ロジスティクスをいう。

　観光ロジスティクスには、**一次交通、二次交通**という概念がある。一次交通とは、拠点となる空港や鉄道の駅間の交通をいい、鉄道や航空路線の便数が多いなど整っていることが多い。二次交通とは、拠点となる空港や鉄道の駅から観光地までの交通のことをいう。

　例えば、羽田空港から宮崎空港までの交通は一次交通である。宮崎空港は、羽田、伊丹、福岡、中部との間に定期便があり、成田、関西には LCC 便がある[47]。宮崎空港から鵜戸（うど）神宮などの観光地までの交通が二次交通である。

　二次交通の課題は、どの地域でも解決が困難な難問である。利便性とコストがトレードオフ（同時には成立しない二律背反の関係）であり、地元の人たちが自家用車で移動している中で、観光客だけのために路線バスや観光バスを黒字で運営するのは難しい。地方の移動手段が自家用車になって以降、地方のバス会社

は、本業の赤字を、高速バスや不動産事業など事業の多角化などでしのいできたが、バブル崩壊以降の景気低迷の中で、1999年以降、多くの地方のバス会社が経営破綻した。

　地方の鉄道も、JR各社の地方路線、JRから地方路線を引き継いだ第三セクターなど、同様の経営状況にある。

［表3-4］1999-2016年の間に破綻した国内バス会社

法的整理	民事再生法	東陽バス、那覇交通、北都交通、富士交通、琉球バス、茨城交通、岩手県北自動車
	会社更生法	京都交通、水間鉄道、福島交通
	破産法	井笠鉄道
	特別清算	常磐交通自動車
私的整理		大分バス、中国バス
事業再生	産業活力再生法・産業再生機構	九州産業交通、関東自動車、宮崎交通
	産業活力再生法	JR北海道バス、箱根登山鉄道、いわさきコーポレーション、立山黒部観貫、国際興業、日立電鉄バスほか4社、アルピコグループ松本電鉄ほか3社
	産業競争力強化法	土佐電気鉄道・高知県交通
	企業再生支援機構	会津乗合自動車

出所：国土交通省[48]

　このように、地方の観光地は、自家用車の普及により、鉄道やバスなどの公共交通機関の便が悪くなっていることが多い。このため、観光客を増やすには、拠点となる空港や鉄道の駅でのレンタカー利用や、自治体や民間企業が協力して、観光地までのシャトルバスや乗合タクシーを運行したり、レンタル自転車を整備するなど、旅行者の利便性を高める努力、すなわち、二次交通対策が必要となっている。また、観光地域が広域に及ぶ場合や、観光地が隣県の拠点からの方が近い場合などは、行政の枠を超えた広域内二次交通の整備が必要視されている[49]。

[推薦図書16] デービッド・アトキンソン（2015）『新・観光立国論』東洋経済新
　　　　報社
　　　デービッド・アトキンソン（2017）『世界一訪れたい日本のつく
　　　りかた』東洋経済新報社

[注]
30）観光庁 https://www.mlit.go.jp/common/001050487.pdf （2020/05/18取得）
31）観光庁 https://www.mlit.go.jp/common/001050490.pdf （2020/05/18取得）
32）現代用語の基礎知識 2019
33）三谷（2019）（pp.52-53）
34）三谷（2019）（p.52）
35）「製品やサービスを、対象とする顧客層に購入してもらうために、様々なマーケティ
　　ング活動が実行される。」以降の出所：経済産業省 https://www.meti.go.jp/report/
　　downloadfiles/g60828a05j.pdf （2020/05/18取得）
36）JTB 総研　観光用語集
37）観光庁 http://www.mlit.go.jp/kankocho/page04_000048.html （2018/10/24取得）
38）平凡社百科事典マイペディア
39）https://www.kantei.go.jp/jp/singi/kanko_vision/kankotf_dai16/gijisidai.html
　　（2020/06/01取得）
40）https://www.mlit.go.jp/common/001281237.pdf （2020/06/01取得）
41）観光庁　官民協働した魅力ある観光地の再建・強化事業
　　https://www.mlit.go.jp/kankocho/news05_000146.html （2020/06/01取得）
42）経済学の意味では、同じコンテンツでも、対価がプラスであれば資源（地域資源、観光資源）
　　となり、対価がマイナスであれば資源とはならない。
43）2016年からの「観光みやざき創生塾」では、塾生は、講師陣からビジネスモデルの設
　　計、採算性、実効性などについて、とても厳しく指導される。
44）有斐閣 経済辞典 第 5 版
45）JTB 総合研究所 観光用語集
46）現代用語の基礎知識2019
47）COVID-19 以前の状況
48）https://wwwtb.mlit.go.jp/hokushin/hrt54/com_policy/pdf/H28startup-koutuukikaku.
　　pdf （2020/06/01取得）
49）JTB 総研観光用語集

第4節 交流人口・UJIターン

　交流人口とは、観光客や二地域居住者[50]をいう。

　地方行政組織や地元においては、観光地域マネジメントと交流人口・UJIターン対策は、別々のものとしてそれぞれに取り組むのではなくて、一体で考える必要がある。

　移住者は、若さ、思い、新しい発想、新しい技術などを地元にもたらしてくれる可能性があり、移住者増加への取組みは、長期的な価値を地元が獲得できる可能性がある。また、都会から地方への移住希望者は多いので、地方にとってはチャンスがあると言える。

　地域マネジメントを行うには、域外の動向を知る必要があるが、二地域居住者や、地元の人で外の世界をよく見に行く人は、他地域の情報を地元にもたらしてくれるありがたい人であると言える。

[図3-6] 観光と交流人口・UJIターンは一体のもの

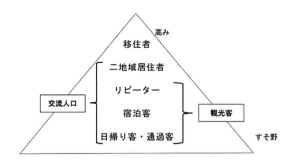

　観光客のうち、リピーターは移住者、二地域居住者候補となる。観光で訪れて良ければ、住みたくなるかもしれない。移住者が増えている地域を見ると、着地型観光のリピーターが、地元の人たちや、すでに移住してきた人たちと交流する中で、地元の人からも名前と顔を覚えられ、親しく交際する中で、移住

に結びつく、海士町や上士幌町のような事例がある。都会から地方に移住することを決め、移住の候補地を探している人たちも、最初は日帰り、宿泊客として現地を訪れる。

　交流人口・ＵＪＩターン対策を考える際には、着地型観光の宿泊客、リピーターを増やすことを考え、宿泊客の増加を目指す観光地域マネジメントを考える際には、移住者の増加に結びつけることも視野に入れて考える必要がある。地域マネジメントを考える際には、観光と交流人口・ＵＪＩターンは一体のものであるというマインドセット（暗黙の了解事項、パラダイム、価値観、信念）をもって考える必要がある。

　地方行政で、移住対策と観光振興を別部署で行い、移住対策の部署では東京でのPRイベントだけに注力しているような場合、地方行政内部でのマインドセットを作り直す方が良い結果が期待できる。

　都会育ちの人を含めて、豊かな自然の中で、人につながることができて、何か新しいことに挑戦できれば移住したいと考えている人は多い。海士町や上士幌町に移住した人の例では、第一に、インターンシップや旅行で海士町にたまたま来て、好きになって回数を重ねて、就職や転職の機会にいろいろ考えて移住した。第二に、どこか地方に移住すると決めて探し回って、海士町や上士幌町にした。地方で子育てをしたいと何か所か探すうちに、子育て支援に力を入れていて、住宅も提供してくれて、景色もすばらしい土地に決めた[51]。第三に、地元側から、歯医者、高校生の勉強のメンター、牛飼い、いわがき養殖スタッフ、CAS事業の営業などの求人が直接、間接にあって、下見をして気に入って、それに応募して移住者になったなどがあった。

［注］
50）内閣府 https://www5.cao.go.jp/j-j/cr/cr08/chr08_3-2-2.html（2021/01/26取得）
51）黒井（2019）（pp.181-187）

第**5**節 オーバーツーリズム・観光 受入れに伴う地域住民の負担

　オーバーツーリズムとは、観光地またはその一地域に、観光客が集まりすぎて、市民生活の質に影響があり、かつ、または、観光客の体験も損なわれている状態と定義[52]されている。

　日本でも、例えば、京都では、COVID-19以前にはオーバーツーリズムの問題が顕在化していた[53]。慢性的な交通渋滞、混雑・人混みで、住民が街に出るのが嫌になるといったことが起きたり、地元の企業が、取引先が宿泊するホテルを探してもなかなか見つからなくてビジネスに支障が出たりするなどの困りごとが生じていた。

　オーバーツーリズムは、2017年ころから観光トレンドとして注目されるようになった[54]。国連世界観光機関 UNWTO は、2018年にオーバーツーリズムに関するレポート[55]を出版した。2017年から COVID-19の発生までの間、世界の観光関係者が、オーバーツーリズムに注目していたことがわかる。

　アフター COVID-19のいつ、オーバーツーリズムが再び課題となるか、2021年現在では見えないが、世界人口は増加しており、途上国の発展や富裕層の増加傾向は継続すると考えられるので、オーバーツーリズムの問題がなくなったわけではないと考えられる。

　著者は、2013年11月の UNWTO 主要20か国観光大臣会合に、国土交通大臣の代理として、日本国政府を代表して出席した[56]。この会議では、観光で経済成長と雇用を生み出す意義と、推進していくことを合意した[57]。

　その5年後には、観光客が多すぎて住民の生活が脅かされることが世界的な問題になり、UNWTO の観光大臣会合でもオーバーツーリズムを採り上げ、オーバーツーリズム対策のレポートを出したということで、この間に、世界の観光がいかに盛んになったかがわかる。

　オーバーツーリズムの弊害は、UNWTO のレポートの定義にもあるように、

[写真3-5]
主要20か国
観光大臣会合での
著者の席

提供：著者撮影。
イギリス、ロンドン塔にて

　第一に、観光地の地域住民の生活の質が低下することである。第二に、観光客の満足度が下がることである。例えば、京都の伝統的な建築物、庭などは、静寂さと空間の美の豊かさこそがその価値の源泉の一つである。混雑とそれに伴う喧噪（人声や物音で騒がしいこと）は観光客の顧客満足度の低下を起こす。

　UNWTOのレポートでは、対応策の考え方として、**観光地の混雑（オーバーツーリズム）は、地元行政の観光担当と観光担当以外の行政部署のトップから現場まで、民間企業、地元コミュニティ、観光客自身の協力で対応するべき**[58]としている。

　インバウンドの伸びは、世界人口の増加と、富裕層の増加のトレンドを背景としているので、長期的な傾向として続く。COVID-19の終息後、オーバーツーリズムの問題が再び生じた場合には、**地域観光の担い手は、地域の特性と混雑の実情に応じたマネジメントを行っていくことが必要となる。**その際には、UNWTOのレポートのような、オーバーツーリズムが発生した地域の状況と対応策に関する事例研究を検討し、実際に現地に行って学ぶなどして、地元のオーバーツーリズムに対するマネジメントを考えることが必要となる。

［注］
52）UNWTO（2018）
53）COVID-19以前の状況。
54）KDDI　file:///C:/Users/mayos/Downloads/KDDI-RA-201904-03-PRT.pdf　（2020/06/01取得）
55）UNWTO（2018）
56）ロンドンでは、在ロンドン日本大使館（当時）の殿木 文明氏（経済産業省）、山上 範芳氏（国土交通省）ほかの皆さまに、たいへんお世話になった。
57）UNWTO　http://cf.cdn.unwto.org/sites/all/files/pdf/unwto_annual_report_2013_0.pdf
　　　（2020/06/01取得）
58）UNWTO（2018）

第**6**節 観光産業

　宿泊、お土産店、飲食店など観光関連産業は、設備投資が事前に必要で借金が大きく、かつ、サービス業のため、客対応には来客に応じた人手の確保が必要となる。このため、利益を上げるのが難しい業種と言える。

　観光関連産業が利益を出すには**平準化**（コラム9参照）が必要である。観光関連産業における平準化とは、年間を通して同じくらいの客が来るようにして、設備の稼働率が高く、従業員の負担が年間を通じて均等で、無理がなく対応ができ、企業としても利益が出るようにすることである。

　宿泊、お土産店、飲食店など観光関連産業では、許容量よりも多くのお客さんが来ると、対応しきれずビジネスの機会を失うとともに、顧客不満足の原因となる。許容量よりも少ないお客さんしか来ないと、借金の返済や社員に満足な給料を払うための収入が得られなくなる。

　観光関連産業の需要の平準化の手段は、いくつかある。第一に、受入れ観光客の最大数を決めることである。これ以上来ていただいたら、満足におもてなしができない。ピークに合わせて設備投資したら借金が返せないといった理由から、5月連休などの来客ピーク時の潜在顧客を全部取り込もうとせず、一部は他の観光地に流れてかまわないので、毎月の稼働率が高く維持されるような許容量を決めることである。湯布院の経営戦略がこれに当たるといわれている。

　第二に、地元の観光入込みのデータから、端境期を特定し、その時期に顧客を呼ぶ工夫を考えることである。例えば、宮崎の12月の青島太平洋マラソンは、行楽シーズン、野球キャンプなどがない閑散期にイベントを設けて集客する経営戦略で発案、継続されている。

（1）旅行会社

　旅行会社は、旅行者のために交通機関や宿泊施設の手配を行ったり、パッケージ旅行のプラン作成や販売などを行ったりする。旅行会社は、ホテルや航空会社などから部屋や座席を仕入れ、ツアーという商品にまとめる。そして、自社の店舗やWebサイト、旅行代理店を通して旅行者に販売する。旅行の企画を立てる過程でレジャー施設と協力する機会も多く、各地域の特産物を作るメーカーや地方自治体とも緊密な連携が求められることもある[59]。

　近年は、店舗を持たないオンライン旅行会社（OTA，Online Travel Agent）、例えば、楽天トラベル、じゃらんnet、るるぶトラベル、一休.comなどの参入が相次ぎ、売上を伸ばしている。店舗を持たないため、店舗経費や人件費がかからない分、価格競争ができる。また、トラベルコ、トリバゴ、スカイスキャナーなど、ホテルや航空券の最安価格を検索するメタサーチ企業のサービスにより、オンライン旅行会社同士が価格を比較されるようになり、競争に拍車がかかっている[60]。

[表3-5] 主要旅行会社

社　　　名	売　　上（2018年、百万円）
株式会社ＪＴＢ（連結）	1,322,992
株式会社エイチ・アイ・エス（連結）	728,554
株式会社日本旅行	429,766
KNT-CTホールディングス株式会社（連結）	405,172
株式会社ジャルパック	175,124
ＡＮＡセールス株式会社	155,909

出所：帝国データバンク

注：OTA（Online Travel Agent）で売上が公表されていないものは含まれていない。

（2）ホテル

　ホテル業界は利用者に対し、宿泊するための部屋や、ホテル内のレストラン

や結婚式場での各種サービスを提供している。ホテルや旅館の客室は、自社サイトによる直接販売と、旅行会社・旅行代理店や旅行サイトなどを通じた委託販売によって顧客に提供される。最近では Web サイトからの予約が主流になりつつある。また、旅行予約サイトなどでは、ホテルの予約だけでなく、鉄道や飛行機の旅行券も併せてセット予約できる場合も多く、消費者の利用は増えている。

　ホテルは、広い部屋や豪華なレストラン・結婚式場などの施設を備えたシティホテル。サービスや部屋の設備を最低限に抑えて、低価格で提供されるビジネスホテル。観光地などに建てられ、長期間の滞在も楽しめるリゾートホテルなどに分類される。

　ビジネスホテルは、宿泊に特化し、収入源は顧客から受け取る宿泊料である。シティホテル、リゾートホテルでは、レストランやバーといった飲食部門、結婚式、会社や団体などの会議と懇親会などの宴会部門から得られる売り上げも収益の大きな柱となっている。そのため、宿泊部門以外にも、レストランなどの運営スタッフ、宴会部門を支える営業・企画職といった幅広い仕事がある[61]。

（3）鉄道、航空会社、LCC

　鉄道会社は、人やモノを運ぶ移動手段としての鉄道を維持・運行している企業である。多くの人々が集まる「駅」を基点とし、不動産、小売業、ホテル、レジャー施設といった事業を運営している鉄道会社もある。鉄道会社は経営母体によって、日本国有鉄道に起源を有する「JR グループ各社」、民間企業によって運営されている「私鉄」、地方公営企業や地方自治体が運営する「公営鉄道」、国や地方自治体と民間が共同運営する「第三セクター鉄道」の四つに分かれる[62]。

　航空会社は、航空機を運航することで、人やモノを運ぶのが中心ビジネスである。航空会社は、フルサービスキャリア（FSC, Full Service Carrier）と、LCC（Low-Cost Carrier）に大別される。

　フルサービスキャリアは、多様な運航路線を整備したり、映画やビデオゲー

[図3-6] 主要鉄道会社

社　　　　　名	売上高（百万円）
JR東日本・東日本旅客鉄道株式会社	3,002,043
JR東海・東海旅客鉄道株式会社	1,878,137
JR西日本・西日本旅客鉄道株式会社	1,529,308
近鉄・近畿日本鉄道株式会社	1,236,905
東急・東急電鉄株式会社	1,157,440
阪急阪神・阪急阪神ホールディングス株式会社	791,427
名鉄・名古屋鉄道株式会社	622,567
東武・東武鉄道株式会社	617,543
西武・株式会社西武ホールディングス	565,939
小田急・小田急電鉄株式会社	526,675

出所：日本経済新聞。売上高は2019年3月

注：売上高は2019年3月。

ムなどの機内エンターテインメントや機内食の内容を充実したりして、付加価値の高いサービスを提供している。LCC は、短距離の直行路線を多頻度で稼働させたり、有名な空港ではない周辺空港を拠点に使用したりして、運航を効率化し、利用料を削減し、機内サービスの簡素化や預け入れ荷物などのサービスの有料化などで、低価格を実現させている[63]。

　ANA ホールディングス株式会社は、航空事業を中心に、旅行事業、商社事業等を行っている。航空事業は、主力の全日本空輸株式会社、アジア向けの旅客・貨物の株式会社エアージャパン、地方路線の ANA ウイングス株式会社、LCC の Peach Aviation（ピーチ・アビエーション）株式会社を運営している。その他、株式会社 AIRDO（エア・ドゥ）、株式会社ソラシドエア、IBEX エアラインズ株式会社、オリエンタルエアブリッジ株式会社、株式会社スターフライヤーと提携している。

　日本航空株式会社は、2010年1月、経営破綻し、会社更生法の適用を申請した。高コスト体質や世界不況による減収で財務体質が悪化したことなどが原因とされる。グループの負債総額は約2兆3千億円で、金融機関を除く事業会社の破綻で過去最大であった。京セラ名誉会長の稲盛和夫氏が会長に就任し、企業再生支援機構が出資して公的管理下で再建を進め、2011年3月に更生手続き

が終了した。2012年、稲盛氏は名誉会長に退き、再上場も果たした[64]。株式会社フジドリームエアラインズ、天草エアライン株式会社と提携している。

　Peach Aviation は ANA と香港資本で設立された LCC で、ANA の連結子会社となっている[65]。ジェットスターグループは、オーストリアのカンタスグループが100％出資するジェットスター航空を中心にアジアに展開する LCC で、ジェットスター・ジャパン株式会社は、2011年に設立され、現在は日本航空（50%）、豪カンタスグループ（33.3%）の株主構成である[66]。

［注］
59)　リクナビ業界研究
60)　帝国データバンク https://www.tdb.co.jp/report/watching/press/pdf/p190802.pdf （2020/06/05取得）
61)　リクナビ業界研究
62)　リクナビ業界研究
63)　リクナビ業界研究
64)　日本経済新聞
65)　Peach Aviation 株式会社 https://corporate.flypeach.com/about/ （2020/06/06取得）
66)　ジェットスター・ジャパン株式会社 https://www.jetstar.com/jp/ja/about-us/jetstar-group/jetstar-japan （2020/06/06取得）

第4章
COVID-19の影響、アフターCOVID-19

^第**1**^節　COVID-19の影響

（1）経済指標

（1）- 1　日本経済

　日本の景気の状況を知るには、日銀短観が良いとされる。日銀短観の業況判断を見ると、製造業は、2019年には景気後退が始まっており、COVID-19（新型コロナウイルス感染症）でいっそう落ち込んだことがわかる。非製造業は、2019年の終わりから2020年にかけて一気に景気が悪化していることがわかる。COVID-19で飲食業、交通などの需要が急減したことを反映していると考えられる。製造業、非製造業ともに、2020年4月が最悪で、7、10月は横ばいか少し回復している。

[図4-1] 日本銀行全国企業短期経済観測調査（日銀短観）業況判断（2015年〜）

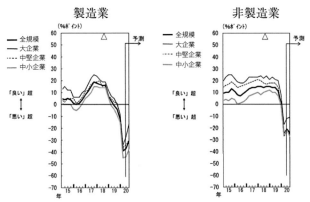

出所：日本銀行　2020年10月。注：△は直近の景気の山

　日本の実質GDP成長率の推移を見ると、2019年10月の消費税増税の影響などで10-12月、2020年1-3月はマイナス成長している。2020年4-6月の3か

第4章　COVID-19の影響、アフターCOVID-19　153

月間は、COVID-19の影響で、マイナス7.8％であった。年率換算するとマイナ
ス27.8％であり、このままの状況が続けば、１年間でGDPの1/4が失われるよ
うな激しい落ち込みであったことがわかる。

[図4-2]
日本の実質GDP成長率
（2019年4月から。四半期）

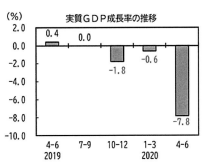

実質GDP成長率の推移

出所：内閣府
2020年8月

　日本の鉱工業の生産動向を見ると、2019年後半から緩やかに下がっていた
が、2020年前半に急落し、５月には2015年を100とする指数で78.7と、年初か
ら約23％下落した。生産の約1/4が失われた落ち込みで、実質GDPの下落動
向と概ね一致している。その後、少し回復し、９月には88.7と、年初から約
11％減の水準である。

[図4-3] 鉱工業生産指数

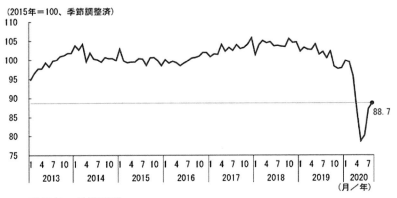

（2015年＝100、季節調整済）

2020年の月別指数

	1月	2月	3月	4月	5月	6月	7月	8月
	99.8	99.5	95.8	86.4	78.7	80.2	87.2	88.7

出所：
経済産業省
2020年9月

　2020年のCOVID-19による景気の落ち込みと、過去の景気後退を比較すると、図4-4上段(2000年〜)では、2008年9月からのリーマンショックによる不況、2001年のITバブル崩壊による不況に相当している。同図下段(1974年〜)では、1997-98年の北海道拓殖銀行、山一證券など、金融機関の相次ぐ破綻を伴う不況、1992-93年のバブル崩壊による不況、1974-75年の第一次石油危機による不況が、2020年のCOVID-19による景気の落ち込みに匹敵する。このように、COVID-19による景気の落ち込みは、歴史に残る大不況の一つになると見込まれる。

[図4-4] 日本銀行全国企業短期経済観測調査(日銀短観) 業況判断

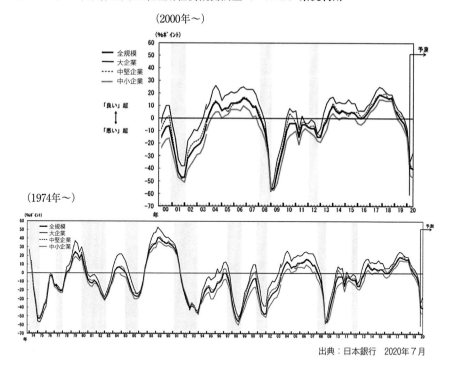

出典：日本銀行　2020年7月

(1)-2　世界経済

　世界経済の状況を知るには、OECD Economic Outlook[1] が定評がある。OECD(経済協力開発機構)は、世界経済の見通しを推計した経済見通し(Economic Outlook)を年2回公表している。経済情勢が急変した場合には、臨時に経済見

通しを修正して追加的に公表することもある。

[表4-1] OECD Economic Outlook の経済見通し（抄）

（2020年9月公表）

	2019	2020	2021
世　　　界	2.6	△4.5	5.0
米　　　国	2.2	△3.8	4.0
欧　　　州	1.3	△7.9	5.7
日　　　本	0.7	△5.8	1.5
中　　　国	6.1	1.8	8.0
イ　ン　ド	4.2	△10.2	10.7
ブ ラ ジ ル	1.1	△6.5	3.6

（2020年6月公表）

［第2波があるケース］

	2018	2019	2020	2021
世　　　界	3.4	2.7	△7.6	2.8
米　　　国	2.9	2.3	△8.5	1.9
欧　　　州	1.9	1.3	△11.5	3.5
日　　　本	0.3	0.7	△7.3	△0.5
中　　　国	6.7	6.1	△3.7	4.5
イ　ン　ド	6.1	4.2	△7.3	8.1
ブ ラ ジ ル	1.3	1.1	△9.1	2.4

［第2波がないケース］

	2018	2019	2020	2021
世　　　界	3.4	2.7	△6.0	5.2
米　　　国	2.9	2.3	△7.3	4.1
欧　　　州	1.9	1.3	△9.1	6.5
日　　　本	0.3	0.7	△6.0	2.1
中　　　国	6.7	6.1	△2.6	6.8
イ　ン　ド	6.1	4.2	△3.7	7.9
ブ ラ ジ ル	1.3	1.1	△7.4	4.2

（2019年12月公表）

	2018	2019	2020	2021
世　　　界	3.5	2.9	2.9	3.0
米　　　国	2.9	2.3	2.0	2.0
欧　　　州	1.9	1.2	1.1	1.2
日　　　本	0.8	1.0	0.6	0.7
中　　　国	6.6	6.2	5.7	5.5
イ　ン　ド	6.8	5.8	6.2	6.4
ブ ラ ジ ル	1.1	0.8	1.7	1.8

出所：OECD

　2019年12月に公表された OECD Economic Outlook の経済見通しでは、世界経済の成長予測は、2020年2.9％、2021年3.0％であった。2020年6月公表の経済見通しでは、第2波があるケースとないケースの2通りの見通しを公表しており、第2波があるケースの世界経済の成長予測は、2020年△7.6％、2021年2.8％に下方修正された。

　2020年の世界経済見通しは、COVID-19の前後で、2.9％（2019年12月予測）から△7.6％（2020年6月予測。第2波がある場合）へと、半年で大きく下方修正されたことがわかる。

　その後、2020年9月に公表された世界経済見通しは、図4-5のように、従来の見通しと、現在の見通しの比較が公表された。一番上の線が、2019年10月のCOVID-19が広まっていないときの従来の経済見通しである。その後の実績は2020年第2四半期（Q2）に大きく落ち込み、2020年9月（現時点）まで少し回復している。それ以降の予測は、現状の見通し、楽観的な見通し、悲観的な見通しの三つの見通しを示している。どの見通しもCOVID-19が広まっていないときの見通しよりは低くなっている。

[図4-5] 2020年9月、OECD Economic Outlook の世界経済見通し

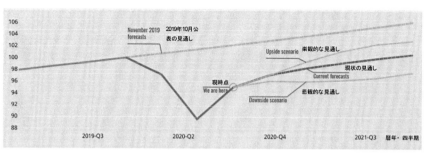

出所：OECD

　2021年12月に公表された世界経済見通しは、図4-6のように、COVID-19による経済の落ち込みと、その後の回復の実績と見通しが示された。OECDは「世界経済の回復は続くが、成長速度は鈍化する」とし、新型コロナウイルスのワクチン接種率が低い低所得国や、観光産業などの人と接触する産業の回

復が遅れるといった経済の不均衡が懸念されると指摘した。経済活動の再開に伴う需要の増加に対して石油や半導体などの供給が混乱しており、インフレ、労働力不足などが懸念されると指摘している[2]。

[図4-6] 2021年12月、OECD Economic Outlook の世界経済見通し

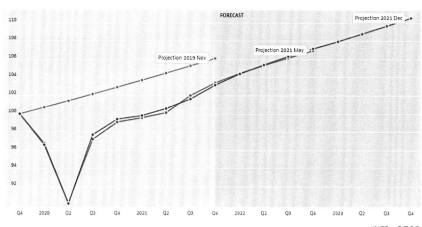

出所：OECD

　このように、OECD Economic Outlook の経済予測を継続的に見て、予測の変化とその根拠を読み取ると、その時その時のできごとが、世界経済にどれくらいのインパクト・衝撃を与えると、世界のエコノミスト（経済の専門家）たちが考えているかがわかる。日本のメディア情報などの情報源だけでは、グローバルな視点、中長期の視点が欠けることがあるので、地域マネジメントに携わる場合には、OECD Economic Outlook が、どのような経済変化に着目して、それはどれくらいのインパクト（衝撃、強い影響）なのか、グローバルな視座からの状況分析をフォローすることをお薦めする。

（2）実体経済への影響

　COVID-19の実体経済への影響は、先述のように、全体として歴史的な不況に当たるものであるが、特に、飲食、交通、アパレル、エンターテインメントなどの業種に深刻な影響を与えている。

　2020年7月時点で、COVID-19によるとみられる倒産件数は、飲食店51、ホテル・旅館46、アパレル・雑貨小売店22、食品卸22、食品製造19、アパレル卸16とされる[3]。2021年5月現在で、COVID-19による倒産は1513件とされる[4]。

　（独）労働政策研究・研修機構の調査[5]では、2020年4-5月に休業を含めた「勤務日数や労働時間の減少」や「収入の減少」が見られ、フリーランスでは6割超が、仕事や収入に「影響があった」と回答した。5月には、調査対象企業で仕事の減少に対する対応が見られ、残業の削減（36.6%）、所定労働時間の短縮（20.0%）、一時休業（一時帰休）（18.2%）が、それぞれ実施された。解雇（0.4%）、雇い止め（0.4%）は低い水準にとどまっている。在宅勤務・テレワークは、COVID-19以前は、7割超が在宅勤務・テレワークを「行っていない」と回答していたが、5月の第2週にかけて在宅勤務・テレワークが急速に広がった。5月の最終週以降は、自粛明けによって、在宅勤務・テレワークは急速に減少したとのことである。

　2019年まで人手不足が続いていたが、2020年に入って有効求人倍率が低下している。有効求人倍率とは、求職者数に対する求人数の割合で、例えば、10人働きたい人がいて、10人分の企業からの働いてほしいという求人があれば、1.0となり、10人働きたい人がいて、5人分の求人しかなければ、5人は仕事に就けず、有効求人倍率は0.5となる。

　COVID-19による飲食や観光などに対する経済的打撃で、地方では雇用の先行きや収入が減少するのではないかとの不安がある。2020年8月の有効求人倍率は1.04、11月1.57などであり、COVID-19前よりは低いものの、2008-9年のリーマンショックのときほど深刻ではない。リーマンショック時は、失業や派遣社員などの雇止めが社会問題となった。2008年夏までは景気は好調で、派遣社員の方が正社員よりも時給単価が高く、海外旅行などの長期の休みも取りやすいということで、派遣社員を自ら選択している人も多かった。多くの企業は、人手不足に対応するために、現場に来ている派遣社員に対して正社員への転換・採用を打診していたが、応じる人は多くはなかった。

　しかし、2008年9月15日、米国の有力投資銀行であるリーマンブラザーズが破綻すると、日本全体の有効求人倍率が**図4-7**の参考図のように1.0を切り、0.5を割り込む（働きたい人10人のうち、5人以上に仕事がない状態）まで急低下し、

[図4-7] 有効求人倍率の推移

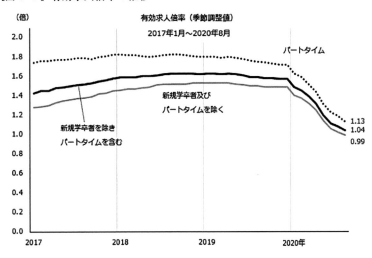

【参考】リーマンショック前後の動向（2006年～2012年）

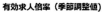

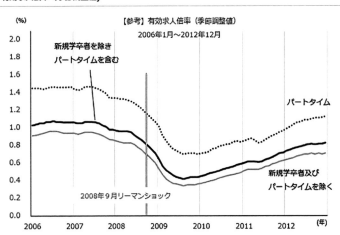

出所：(独)労働政策研究・研修機構

派遣社員などの雇止めが連日のように報道されるなど社会問題になった。企業側でも、正社員は簡単には解雇できないので、利益が急速になくなる中で、優秀な派遣社員を雇止めせざるを得ず、残った正社員が業務で苦労するなどの状況が見られた。このような経験から、海外旅行などの長期の休みを取りやすい

から派遣社員を選択するといった価値観から正社員志向への変化が見られた。

　COVID-19前の人手不足・売手市場の状況から、2020年以降は雇用が厳しくなり、新卒の就職も厳しさを増している。地方都市でも雇用情勢に変化が起きている。

　なお、上記の派遣に関する記述は、常用型でない一般的な派遣社員（登録型派遣）を前提としている。常用型派遣は、派遣会社が常時雇用している正社員の労働者のみを派遣するもので、派遣就業の終了後も、派遣会社と労働者の雇用関係は継続され[6]、雇止めなどは起こらない。例えば、株式会社アルプス技研は、高度な設計者を常時雇用しておいて、設計業務が繁忙になったり、自社の設計者ではノウハウがないなどの製造業の求めに応じて派遣している。社員は、同社の正社員である。

［注］
1)　OECD https://www.oecd-ilibrary.org/economics/oecd-economic-outlook_160974 （2020/09/03取得）
　　内閣府 https://www5.cao.go.jp/keizai1/kokusai-keizai/oecd.html　（2020/09/03取得）
2)　JETRO https://www.jetro.go.jp/biznews/2021/12/11c8c20bad339374.html　（2021/12/6取得）
3)　日本経済新聞 https://www.nikkei.com/article/DGXMZO61710510Q0A720C2X12000 （2020/09/03取得）
4)　帝国データバンク『特別企画「新型コロナウイルス関連倒産」動向調査』㈱帝国データバンク
5)　独）労働政策研究・研修機構 https://www.jil.go.jp/tokusyu/covid-19/index.html （2020/09/03取得）
6)　小学館デジタル大辞泉

第**2**節 ドライブイン「はまぐり碁石の里」の事例

　1917年、黒木碁石店は、蛤碁石の製造元として創業し、2008年、ミツイシ株式会社へと改称した。2020年現在、同社は蛤碁石に関しては世界でのトップシェアという。1981年、手作り碁石見学処「はまぐり碁石の里」を開店し、ドライブイン事業・観光事業に参入した。1986年、「はまぐり碁石の里」レストラン・宮崎物産館を併設して、宮崎県日向市の国道10号沿いの本社現在地に移転新設した。観光施設としての「はまぐり碁石の里」は、売店、レストラン、囲碁ミュージアムを整備し、団体観光バスなどの立ち寄りを含め、観光客に食事、買い物、見学の場を提供してきた。東九州自動車道がなく、全ての観光バスが国道10号を通っていたこともあり、多くの観光バスが昼食休憩や立ち寄りをしたという。また、売店、レストランで販売する加工食品を自ら製造する事業にも参入した。

　黒木宏二氏は、創業者の曾孫に当たり、漁業関係の商社に就職し、海外の水産物の買付け、販売、加工などに従事した。仕事の内容は、5〜6月：ロシア船に1か月乗船して陸上検品買付け。8〜10月：中国の工場で"かずのこ"をつくる仕事。11〜12月：北海道で"かずのこ"のパック包装であったという。その後、法人向け損害保険営業を経て、大手回転すしチェーンの購買部（バイヤー職）に転職し、資材全般の仕入れ担当　（年間10億円の仕入れ）を行うとともに、資材の改良業務として、回転すしのラーメン・うどんが冷めにくいよう、お椀を改良したり、醤油をたくさん使わないで、使うだけ出すように容器を改良した。また、ゴールデンウイークやお盆の繁忙期は店舗応援で厨房スタッフとして勤務したという。事情があって、2017年、家業の社長に就任した。

　同社は、かねてより、高鍋信用金庫からマネジメントのコンサルタント支援を受け、経営理念・ビジョン、PEST 分析、5フォース分析、SWOT 分析、財務分析を、表4-2に示した三つの事業分野別に行った。

碁石事業部

- 日本で唯一のはまぐり碁石の生産地。技術・伝統を引き継いでいるのは日向市のみ
- 海外への販売比率が7割以上

■はまぐり碁石製造　　■碁石工場見学・囲碁ミュージアム　　■新商品開発（さくらご）

営業販売事業部（ドライブイン・レストラン事業）

- 県産の日向夏やマンゴーを使ったお土産の販売
- 県外や海外の観光客へ「宮崎・日向」名物料理を提供
- 日向市の特産品・はまぐり碁石見学・体験できる場所づくり（旅の駅　はまぐり碁石の里の店内に開設）

■はまぐり飯・貝汁　　　　■はまぐりリゾット　　　　　■売り場

食品事業部

- 宮崎の特産品を活かしたモノづくり
- これまでに「あるようでなかったモノ」を世の中へ！

提供：ミツイシ株式会社 [7]

[表4-2] ミツイシ株式会社の事業展開

年	碁 石 事 業 部	営業販売事業部 （ドライブイン・レストラン事業）	食 品 事 業 部
1917	蛤碁石（白）製造開始		
1966	新しい製造方法、くり抜き工法成功		
1980	榧（かや）碁盤製作開始		
1981		ドライブイン事業へ参入	
1986		「はまぐり碁石の里」レストラン・宮崎物産館を併設して本社現在地に移転新設	
1995		「はまぐり焼き」半自動製造機導入	
1999	蛤碁石・榧碁盤のインターネット販売開始		
2001			創食食品事業部発足。レトルト食品を中心に加工食品事業に参入
2002			はまぐり碁石の里店内に菓子工房「らんみや」オープン。菓子製造に参入
2008	株式会社黒木碁石店より「ミツイシ株式会社」へ改称		
2015		はまぐり碁石の里内に「囲碁ミュージアム」オープン	
2017	黒木宏二氏、5代目代表に就任		
2018	黒木碁石店の碁石職人2名が「宮崎県伝統工芸士」に認定		
2020	事業継続。世界でのトップシェア	ドライブイン事業閉店	事業継続

出所：ミツイシ株式会社

　その分析を踏まえて、第一に、碁石事業部は、製造業であって顧客の中心が中国の富裕層であることから、製造工程の平準化、在庫減らしと、中国の富裕層にターゲティングし、色の珍しさ、美しさ、高級感をデザインした新商品を開発、販売する事業戦略とした。

　第二に、ドライブイン、レストラン事業については、コアビジネスである碁

石に関する知識を広めるためのミュージアムを継続するとともに、地元食材を使った料理を新規に開発して、地元の事業者から地元の食材を購入して観光客に提供することで、観光マーケットと地元の地域資源をつなげた。観光マーケットから、地元が雇用と利益を得る窓口役となった。黒木氏が地元食材を使った料理を新規に開発して提供しようと思い立ったきっかけの一つは、著者から「観光業に携わる人は、地元に雇用と利益をもたらす窓口役だ」という話を聴いたことだという。

　第三に、先代から取り組んでいたドレッシングなどの加工食品は、地元の食材をドライブインに立ち寄った観光客に提供することや、観光客が購買意欲をそそられる地元の商品が少ないことから開発してきたものであった。黒木氏は、さらにWebサイトでの通信販売にも力を入れて販売拡大に努めていた。

　2020年3月、同社は、COVID-19の影響もあってドライブイン事業を閉店し、本業の碁石製造と、売店でのお土産販売から派生した日向夏ドレッシングなどを軸とした食品製造業に専念することとした[8]。

　黒木氏が決断を早めた理由の一つに、2010年に宮崎で起こった口蹄疫の教訓があるという。2020年2月、黒木氏は、口蹄疫の当時、宮崎で観光事業をされていた方に、「どのように乗り越えてこられたのか？」と聞いたところ、「耐え忍ぶしかなかった」「お客様が戻るのに2年かかった」との回答だったという。また、もう一つの理由としては、今回のドライブイン事業の撤退は、それを補完するだけの別のビジネス（食品事業部）があったからこそできたことでもある。2001年に開始した食品事業部は、ドライブインでのお土産販売に依存することなく、全国の小売店にも販路を広げてきており、受注が継続している。ビジネスを行う上で、特定の業態や企業に依存し過ぎないという視点も重要だという。黒木氏の今回の決断は、COVID-19の影響が直接のきっかけではあるが、100年企業の事業の蓄積と、自社の経営を詳細に分析していた上で、先輩の教訓を学んでの経営判断であったと言える。

［注］
　7）　ミツイシ株式会社 https://mitsuishi.co.jp/service　（2019/11/11取得）
　8）　ミツイシ株式会社 https://mitsuishi.co.jp/news/153　（2020/06/06取得）

第5章
地域マネジメントの理論

<small>第</small>**1**<small>節</small>　地域マネジメントと経営学

（1）地域マネジメントに有用な学問

　これまで、地域振興、地域活性化を、細部まで深く考えずに使って行動するのではなく、経営学・マネジメントの考え方で、地域経済の持続可能性を、全体像と各構成員の両方で実現することが必要であることを事例を紹介しながら述べた。地域マネジメントは、経営学などに蓄積されているマネジメントの理論や手法を使う。マネジメントについての人類の知恵の蓄積とはどのようなものであろうか。

　地域の全体像を俯瞰してマネジメントを考えるために直接的に有用な学問は経営学と経済学であると考えられる。他にも有用な学問は多くあるが、後述するように経営学は学際性があり、経済学、心理学、社会学など、有用な学問を取り込みながら発展してきている。

　日本など国レベルの景気調整策を考える学問はマクロ経済学である。地域の経済を構成する重要な主体である企業のマネジメントを考える学問は経営学である。したがって、国等の地域のマネジメントを考えるには経済学の考え方が有用であり、企業等のマネジメントを考えるには経営学の考え方が有用であると考えられ、対象とする地域や組織によって、経済学、経営学などの理論で考察することができる。

　地域を構成する組織には、企業のような**営利組織**と、行政、NPO、住民組織、祭りの担い手などの**非営利組織**がある。これらの組織は目的に応じて形成、運営されていくもので、営利組織のマネジメントは経営学そのものである。非営利組織のマネジメントについても、経営学は研究を進めている。非営利組織の必要性は、経済学のうち、公共財、外部経済、市場の失敗などの理論で考えることができる。

　狭義の経営学は経営（マネジメント）を研究対象とする。マネジメントとは、人を通じて仕事をうまく成し遂げることである[1]とされているように、マネジメントは具体的な人に注目し、個性をもった人たちが協力して仕事をうまく成し遂げることを考える。

　これに対し、経済学は、人間の能力では処理しきれないほど広範で複雑な経済現象を、構成要素に分解したり、重要なことに焦点を当てて他は固定して考えたりして、経済現象の大まかな姿がどうなっているか推測し、実証しようという思考法であり、具体的な人、個性をもった人たちを考察の対象としないことが多いと言える。一人の人間が国全体のことをすべて理解することは不可能なので、国全体のことを考えるマネジメントは経済学的な思考法でいくしかなく、逆に、一人一人の顔が見える地元や企業であれば、経営学・マネジメントの考え方が重要であると考えられる。

　国全体の経済運営を、トップと官僚で細かにコントロールしようとして社会主義経済運営は失敗した。人間が国全体の経済活動のすべてを理解して管理することが不可能であることを、ソビエト連邦が設立されて崩壊するまでの70年にわたる社会実験によって、社会主義国は実証的に示したと言える。このように、経済学の思考法、すなわち、経済を単純化したり、重要なことに焦点を当てて他は捨てて考えたりする思考法は必要であると言える。

（2）経営学・マネジメントとは[2]

　広い意味での経営学（商学）は、図5-1のように、①狭義の経営学、すなわち経営・マネジメント、②会計学、③狭義の商学（取引関係）の3分野から構成される。経営学、マネジメント、マーケティングなどに関してネット上に多くの情報があるが、経営学を体系的に学ぶには、大学、大学院などで学ぶほか、入門書を読んで、必要と感じる分野についてさらに専門書を読んでいく方法がある。

　経営学は学際性を有している。経営学は、20世紀初頭から始まった[3]比較的新しい学問であり、他の学問から多くの概念や理論などを取り込んで成立、発展してきている。具体的には、経営学の各要素に関して表5-1の右欄、表5-

[図5-1] 経営学の構成

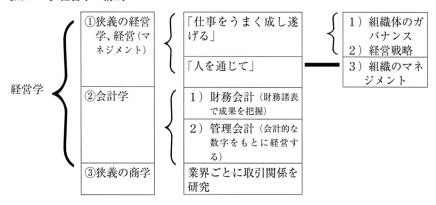

出所：加護野、吉村 (2012) (p.36-40) から著者作成

[表5-1] 経営学と他の学問との関係

経営学			他の学問との関係
	①狭義の経営学、経営（マネジメント）	1）組織体のガバナンス	
		2）経営戦略	経済学
		3）組織のマネジメント	社会学、心理学、社会心理学
	②会計学	1）財務会計（財務諸表で成果を把握）	経済学、法学（会社法など）
		2）管理会計（会計的な数字をもとに経営する）	
	③狭義の商学	業界ごとに取引関係を研究	≒ 経済学（狭義の商学 ≒ 取引に係る応用経済学）

出所：加護野、吉村 (2012) p.38-40から著者作成

2のような学問が関係しているとされる。なお、高度化、複雑化する課題の発見、同定、解決のためには、学問領域にかかわらず、分野間連携・融合や学際研究が必要[4]と指摘されている。

　狭義の経営学は経営・マネジメントを研究対象とする。マネジメントとは、人を通じて仕事をうまく成し遂げることである。「仕事をうまく成し遂げる」ことに関して、1）組織体のガバナンス、2）経営戦略の2分野がある。「人を通じて」に関して、3）組織のマネジメントの分野があるとされる。

　経営戦略の中に、事業戦略、企業戦略やマーケティングなどがあり、その中の地域マネジメントと関連が深い理論や手法については、本書の本文、コラ

［表5-2］経営学の主要理論と元になった学問の関係

元になった学問	経営学の主要理論
ミクロ経済学・価格理論	ポーターの競争戦略とそれをベースにした5フォース、セグメンテーション、ポジショニングなど Resource based view（経営資源に価値があり、稀少なとき、その企業は競争優位を実現するなど） 情報の非対称性 エージェンシー理論（モラルハザード、インセンティブ、企業統治など） 取引コスト理論（機会があれば契約を裏切って儲けようとする相手の"機会主義"を監視（モニタリング）するコスト＝取引コストを考えることで様々な経済行動の原因を説明する理論） ゲーム理論
金融工学	リアル・オプション（小さく投資して大きく育てる戦略）
心理学	企業行動理論 イノベーション・組織学習の理論（知の探索・知の深化の理論、組織の記憶の理論、組織の知識創造理論、ルーティンによる組織進化理論、ダイナミック・ケイパビリティ理論） リーダーシップの理論 モチベーションの理論 認知バイアスの理論（個人の情報収集は脳の認知のフィルターで取捨選択されるので偏りがある。情報収集の偏りは意思決定に歪みを生じさせる。そのバイアス・偏りを、組織に多様な人たちがいることで客観的な判断に是正する） 意思決定の理論 感情の理論 センスメイキング理論（求められるのはストーリーを語り、腹落ちさせられるリーダー）
社会学	埋め込み理論（現実のビジネスは社会に埋め込まれた人と人との関係性で成立する） 弱い紐帯理論（Strength of week ties　たまにしか会わない人が、未知の情報を教えてくれる。いつも会う人からは新しい情報はない） 構造の空隙理論（Structural hole　グループ間の人間関係がないところ（空隙）を橋渡しすると、人よりも情報で優位に立てる） ソーシャル・キャピタル理論（ソーシャル・キャピタルとは、複数の個人・集団の間の善意で、そこから利益が得られる） 制度理論（Institutional theory　経済学の仮定とは異なり、人は合理的に意思決定するとは限らない） 資源依存理論（ある企業が特定の企業に依存すると交渉力が弱くなる。そこからの脱却が必要） 組織エコロジー理論（生物学の生態学の応用。ある業種の企業が増えすぎると淘汰が始まるなど） エコロジーベースの進化理論（組織が変化しにくい理由の説明と、変化を起こすための方法論） レッドクイーン理論（Red queen theory　鏡の国のアリスの「思い切り走っても現状維持で、他の場所に行きたいなら2倍は速く走らないといけない」という物語の隠喩から。ライバルとの競争を目指さないことが重要）

出所：入山（2019）から著者作成

ム等で解説している。さらに詳しく知りたい場合には、三谷 (2019)、コトラー
(2003)、入山 (2019) など、実務家向けにマネジメントの理論を解説した本を読
み、さらに、そこに紹介されている各理論の主要著書、論文を当たれば、経営
理論の神髄を学ぶことができる。**理論は、実務経験がなくても理解することが
できる上に、実務に当たったときに考える軸となるので有用である。**

　会計学は、1）財務会計（財務諸表で成果を把握）、2）管理会計（会計的な数字を
もとに経営する）の2分野がある。

　狭義の商学は、業界ごとに取引関係を研究する。狭義の商学の学問的手法
は、経済学そのものであるとされる。

　経営学は、比較的新しい歴史の中で、他の学問から概念や理論を採り入れな
がら、主に米国で、現実の事例に学んで理論を発展させてきた。**企業の経営に
ついての研究が経営学の中心であるが、企業以外の組織（非営利組織）に関する
経営学**[5] も存在する。学校、病院、行政、美術館、博物館、交響楽団など多様
な組織体を研究対象に加えている。

　非営利組織について、ドラッカーは、企業は財とサービスを提供する。政府
はコントロールする。**非営利組織は、人を変える役割である。**例えば、病院で
あれば治癒した患者、教育機関であれば学ぶ生徒、自立した成人を生み出す
[6]。非営利組織は、人と社会を変える存在であるので、正しい行動をもたらす
ミッションが必要である。ある病院は、「健康の維持」をミッションに掲げた
が、健康の維持は一人ひとりの個人しか行えないので病院の具体的な行動に
は結びつかなかった。そこで、「患者を安心させること」をミッションに掲げ
た。このミッションは、病院に来た患者をすぐに診察して、軽症であれば適切
な説明と処方をして安心させたり、重症ならすぐに集中治療室に運び込むとい
う行動に結びついた。このようなミッションが非営利組織の正しいミッション
であるとしている[7]。

　さらに、非営利組織もイノベーションが必要である。正面から取り上げるべ
き問題を明らかにすれば、イノベーションは可能となる。イノベーションを行
うための大前提が、変化は脅威ではないとの認識である。イノベーションを成
功させるには、戦略と適切なリーダーが必要である[8] としている。

（3）経営学教育と実務

（3）- 1　経営学教育と実務

　日本では、経営学教育[9]は、商業高校、大学の経営学部、経営系専門職大学院や、学際的な学部の一部などで行われている。**日本企業は、専門知識や経験のない人材を採用し、内部育成し、昇進させることが多い。**社員が経営系専門職大学院の修士号や海外の大学院の MBA（Master of Business Administration、経営学修士）を有しても、内部昇進の評価で米国など諸外国ほど考慮しないことが多い。

　米国のビジネススクール（Business School）は、企業幹部あるいはそれを目指す人を対象として、マーケティング、ファイナンス、人的資源管理といった分野で経営実務に必要な専門知識を提供することが授業の主な内容となっている。一般に、**米国の企業では、内部昇進よりも、役職に合った専門知識や経験、資格をもった人を外部から採用することが多い。**他の会社に移らないと、同じ会社に勤めていては、いつまでも昇格できないことも多い。著者の米国留学の際の米国人の同級生にも、社会人になって貯金して会社を辞めて大学院に入学し、大学院を修了したら、以前より高い給与、役職に転職しようとする者が多くみられた。

　著者は、カリフォルニア大サンディエゴ校国際関係論大学院に、1995-96年、留学した。同大学院では、英語以外の語学、国際関係論、ビジネスなどを教えていた。米国人の学生は、社会人（会社や海軍）を辞めて入学し、外資系企業（米国以外に本社がある企業の米国法人）の幹部に再就職することを目指している人が多かった。日本人、韓国人の学生は、会社、役所から命じられて期限を切って留学してきている社会人が多かった。中国人の学生は、米国で就職することを目標に、期限を切らずに留学してきた人が多かった。また、同大学院は、当時、ハーバード・ケネディスクールに次いで米国国務省への就職が多く、その希望者は学部からすぐに大学院に入り、国務省を受験していた。

　昇進と大学院の位置づけは、日米のビジネス慣習が異なる点の一つである。欧州や、欧米の旧植民地であった途上国でも同様の傾向であり、世界全体で見

ると日本式の内部育成・内部昇進の方が珍しいのかもしれない。

　米国のビジネススクールなどの大学院では、授業の進め方が、教員が学生に向かって一方的に講義を行うスタイルではなく、現実に起こった企業経営の事例（ケース，Case）を素材にして、教員と学生、学生間でディスカッションを行うスタイルをとる場合が多い。こうした教育スタイルは、**ケースメソッド**（Case method）と呼ばれる。米国の大学、大学院の教員は、研究者が企業の顧問になったり、企業に転職したり、大学に戻ったり、実務家が研究者になったりする人が多く、大学と実務との敷居が低いこともケースメソッドを充実させる要因の一つである。

（3）- 2　経営学への批判

　経営学が実際の経営に役立たないという批判がある。「経営学　役に立たない」でネット検索すると多数ヒットする。なお、他の学問も、多かれ少なかれ、内容は多少異なるもののネガティブなコメントはヒットする。また、MBA 取得が実際の仕事では役に立たないという批判がある。例えば、MBA について否定的な意見をもつ人たちは、学校に通いだすと仕事が中途半端になる、知恵がつきすぎて頭でっかちとなる、MBA 取得者は大きな仕事をやりたがり、現在の業務をないがしろにしがちになる、学位を取得とすると転職する人が多いと考えているようだという指摘がある[10]。米国内でも MBA に対する有力な批判はある。

　米国の上場企業の管理職等の約4割は MBA 取得者である。それに比べて、日本の企業役員等は、すべてのカテゴリーの大学院の修了者が5.9％にとどまるという[11]。この5.9％の内容は、製造業の工学系修士の役員が多く、経営系専門職大学院の比率は多くないと考えられる。日本でも、1980年代の一時期、MBA を取得すると高収入への転職ができるなどと流行った時期があったが、期待ほどではなかったとして現在は落ち着いている。**日本では、米国ほどには、ビジネススクールと、個々人のキャリアデザインとが結びつかなかったと言える。**

　ただし、このことや、日米等において経営学の有用性、MBA、経営系専門職大学院への批判があることは、**経営学・マネジメントの理論が、会社経営に**

とって意味がないことを示しているものではない。日本でも、多くの経営者が、経営学・マネジメントを、書籍や勉強会などで学び続けている。また、多くの優れた経営者が示唆に富んだビジネス書を出版したり、経営学者からインタビューを受けるなど研究に貢献している。

　米国の経営学者のミンツバーグは、**効果的なマネジメントは、アート（ビジョン）、クラフト（経験）、サイエンス（分析）の３要素のバランスがとれた組み合わせが必要**であるが、MBA 教育は分析のみに焦点を当てている。MBA 教育はバランスが悪い。経験をないがしろにし、ビジョン教育が弱い[12]　と批判している。この意味は、実際にマネジメントを実行するには、分析だけでは足らず、経営者のビジョンや経験が必要であって、MBA で分析だけ学んだ者が、すぐにマネジメントできるわけではないという、まったくもって当然の指摘であると考えられる。

　この指摘はあらゆる資格について言えることで、資格のための勉強をし、試験に受かったとしても、実務経験を積まなければ役に立たないし、また、資格をもっていなくても、独学と実務経験によって、そのことを成しうる人は数多く存在する。

　日本企業が MBA 保持者だから昇進させるということはしない一方で、仕事に必要な資格を社員に積極的に取らせるのは、「特定分野の勉強と習得の確認に資格は役立つ。かといって、資格を活かして仕事ができるようになったかは、その後の仕事ぶりをみてみないとわからない」といった認識に基づいていると考えられる。

　仕事、経営を実践する立場の者としては、「経営学・マネジメントを勉強しても役に立たない」と批判したり、そのような批判を聞いて学ぶことに否定的になっても得るものはない。先述の"こゆ財団"の事例をはじめ、**経営学、マネジメント、マーケティングなどの知識は、多くの地域マネジメントの現場で実際に役立っている**。したがって、大学生など社会に出る前の人たちには、経営学・マネジメントを学ぶ機会があればしっかり勉強して、自らの夢（ビジョン）を持ち、若いうちに社会に出て仕事をして失敗や成功の経験を積み、その中で必要と感じた経営学をさらに学び、ビジョン、経験、分析の３要素のバランスがとれた社会人になってほしいと願う。

[推薦図書17]

三谷宏治（2019）『新しい経営学』ディスカヴァー・トゥエンティワン
　　　※経営学の本を何冊か読んだことはあるが、よくわからないという人や、仕事でマネジメントの知識が必要で切迫している人に最適。

加護野忠男、吉村典久（2012）『1からの経営学 第2版』碩学舎
　　　※著名な経営学者が書いた入門書として定評がある。各章に、さらに詳しく学びたい場合の参考文献が記されている。

楠木建（2010）『ストーリーとしての競争戦略 優れた戦略の条件』東洋経済新報社

Drucker（1973）（上田（訳）(2008)）『マネジメント』上中下　ダイヤモンド社

Drucker（1990）（上田（訳）(2007)）『非営利組織の経営』ダイヤモンド社

Kotler（2003）（恩藏，大川（訳）(2003)）『コトラーのマーケティング・コンセプト』丸井工文社

入山章栄（2019）『世界標準の経営理論』ダイヤモンド社
　　　※経営学の理論をひととおり、すべて見てみたい人に最適。

［注］
1）加護野，吉村（2012）(p.39)
2）加護野，吉村（2012）(pp.36-40)
3）加護野，吉村（2012）(p.33)
4）科学技術・学術審議会（2013）(p.8)
5）加護野，吉村（2012）(p.38-39)
6）Drucker（1990）（上田（訳），2007）(p. viii)
7）Drucker（1990）（上田（訳），2007）(pp.2-4)
8）Drucker（1990）（上田（訳），2007）(pp.12-17)
9）加護野，吉村（2012）(p.35)
10）加登（2018）(p.1)
11）文部科学省 https://www.mext.go.jp/component/b_menu/shingi/toushin/__icsFiles/afieldfile/2019/07/19/1419265_006.pdf （2020/05/18取得）
12）Mintzberg（2005）(pp.93-95)

第**2**節　地域マネジメントと経済学

（1）経済学とは

　標準的な経済学とは何かということに関しては、グローバルな共通の理解が
存在する。標準的な経済学を初心者に教えるための教科書が存在し、その内容
は世界中で概ね同じである。

　経済学の内容は、経済学の中心であるミクロ経済学（Microeconomics, 価格
理論, Price theory）として、**需要と供給、消費者行動、市場取引と資源配分と
いった基本**があり、独占理論、**市場の失敗**、不確実性と不完全情報、国際経
済学、ゲーム理論といった応用がある。マクロ経済学（Macroeconomics）は、
GDP、有効需要と乗数メカニズム、財政金融政策（ケインズ政策）、貨幣と金融、
インフレ、デフレ、失業、経済成長理論などの内容がある。

　地域マネジメントを考えるためには、経営学の理解にも必要となる**需要と供
給、消費者行動、市場取引と資源配分といった基本**、経営、マネジメントや、
行政、非営利組織の必要性を理解するために必要な**市場の失敗**を学修すると助
けになる。

　ミクロ経済学・価格理論は、人間の行動原理（例えば、価格が高いと買わない）
から経済事象の"あらすじ"の全体像を（例えば、価格で世界中の石油の需要と供給
量が調整され、均衡する（需要と供給が釣り合って価格が落ち着く））ことを捉えよう
とするもので、主に数学で論理展開する科学（Science）である。

　マクロ経済学は、ケインズが発見した有効需要の概念で、景気をバブルや大
不況にならないよう世界経済や国の経済を調整・コントロールすることが主目
的で、システム工学に似たエンジニアリング（Engineering, 目的を何とかして達成
すること）の学問である。著者は、1998-99年、経済企画庁（当時）調整局調整課
に在籍した。この課では、政府経済見通し、月例経済報告、経済対策を担当し

ており、著者は1998年の政府の緊急経済対策の省庁間の調整、対策案の執筆に
関わった。

　また、マクロ経済学の諸概念は、ミクロ経済学・価格理論がベースになって
いる。このように、ミクロ経済学、マクロ経済学は性質が異なる学問で、ミク
ロ、マクロという言葉は同じものの大小を意味してはいない。時々、小さな範
囲はミクロ経済学、大きな範囲はマクロ経済学が対象といった使い方や、同じ
意味で、「ミクロ的には」「マクロ的には」といった使い方をしている例が見ら
れるが、ミクロ経済学でも世界中の商品価格の均衡や、国際貿易の利益などを
議論するので、用語の適切な使用とは言えない。ミクロ経済学の別名は価格理
論（Price theory）であり、価格によって経済を考察する理論と考えれば、この
ような誤解や混乱を招きにくい。

　経済学の理論・概念のうち、地域マネジメントに関係の深い基本となるもの
を以下に示す。

（2）地域マネジメントとミクロ経済学・価格理論

（2）- 1　経済学の思考法
　経済学、特に、ミクロ経済学・価格理論は、人間の能力では処理しきれない
ほど広範で複雑な経済現象を、**構成要素に分解**したり、**重要なことに焦点を当
てて他は固定して考え**たりして、**経済現象の大まかな姿がどうなっているか推
測し、実証**しようという思考法である。
　一般均衡理論[13] は、複雑な経済を個々の構成要素に分解し、まずは後述の
完全競争理論のような簡単な経済モデルから出発して、要素を順に組み込んで
いって複雑な経済モデルにしていって現実に接近しようとする思考法である。
一般均衡理論の経済モデルは、例えば、完全競争理論のように架空の論理体系
であり、**非現実的で実用性はない**。しかし、**論理体系としては自己完結**してい
る。入門的な教科書で習う経済理論の多くは一般均衡理論である。
　部分均衡理論[14] は、**複雑な経済をそのまま考察の対象**にする。他の部分を
固定するという方法で、経済の特定の一部分を観察する。部分均衡理論の経済
モデルは、特定の時期の特定の経済問題に適用できる実用的なものとなる。し

かし、固定化した部分を前提としなければならないので、論理体系としては自
己完結しないとされる。

（2）- 2　見えざる手（invisible hand）

　見えざる手とは、アダム・スミス（A. Smith）の言葉で、各個人がそれぞれの
私的利益を追求することが、結果として社会全体の利益をもたらす。それは見
えない手の力がそうしているのだ[15]という考えである。スミスは、天動説に
関する天文学の研究でも有名であり、天体の動きが自律しているなどの自然現
象を説明する自然科学の考え方を社会科学に対して類推を行ったと評されてい
る[16]。

　価格による需要供給の自動調整機能・見えざる手とは、

・供給よりも需要が多くなるとモノ不足になる。

・モノ不足になると欲しい人が「高くても買おう」とするので価格が上が
　る。

・価格が上がると企業は利益が出るので生産を増やす。業界全体として供給
　が増える。

・供給が増えて需要より多くなるとモノが余る。

・モノが余ると企業は投げ売りをして価格が下がる。

・価格が下がると、企業は生産を減らし、業界全体として供給が減る。一方
　で消費者は多く買う。

・供給よりも需要が多くなるとモノ不足になる。

　以下、この過程を繰り返しながら、需要と供給を、価格が仲介して調整する
機能をいう。

　自由放任主義（laissez-faire, レッセフェール）は、政府は私企業の活動にまっ
たく干渉すべきでないという主張である。現在でも、一部の経済学者は「政
府、行政は何もしない方がよい、規制は無くすべき」といった主張をする。古
くはケネー（F. Quesnay）ら重農主義者が当時の重商主義的統制に対してこれを
唱え、さらに19世紀のバスティア（C. Bastiat）の予定調和的自由主義に受け継
がれた。イギリスでは自由貿易を熱狂的に説いたマンチェスター主義がそれに
当たる。現代ではオーストリア学派が自由放任主義に近いとされる[17]。

　一方で、「政府、行政は市場に任せないで対策をした方がよい」という経済学の理論（市場の失敗、有効需要理論など）もある。「経済学者が言っているから」等というだけで他人の主張を鵜呑みにせず、自分で学んで考えることが重要であると言える。

（2）- 3　資源配分（allocation of resources；resource allocation）

　資源配分は人々の欲望充足の対象となる財・サービスの生産のために、稀少資源を適宜に割り当てることでである。最も効率的な資源配分法を検討することは経済学の古くからの研究課題であった。自由市場における価格機構は、資源配分を決定するためのすぐれたメカニズムであるが、完全ではないため現代経済においては国家の経済政策によって様々な補正が加えられる[18]。

（2）- 4　比較優位説

　比較生産費説（theory of comparative costs）は、リカード（D. Ricardo）によって提唱された貿易および国際分業に関する基礎理論で、比較優位説ともいう。2国間の相互比較において、それぞれの国が相対的に低い生産費で生産しうる財、すなわち比較優位にある財に特化し、他の財の生産は相手国にまかせるという形で国際分業を行い、貿易を通じて特化した財を相互に交換すれば、貿易当事国は双方とも貿易を行わなかった場合よりも利益をうることができるという説[19]である。

　比較優位説は、一見、優れた人にとっては、劣った人と協力する必要性を見いだせないかもしれないが、得手不得手が異なる人々が協力すれば全体としてより良くなることを証明する。人々の多様性の尊重や協力の重要性を数理モデルで証明できる理論であると言える。

　ここでは、数式を使わずに比較優位説を理解するために、次ページからの表5-3にあげた例で見てみよう[20]（数式を使う解説に興味があれば経済学の専門書を参照のこと）。

[表5-3] 比較優位・比較生産費説の理解

　　日本は100人で500台の機械、100人で200俵の農産物を作ることができるとする。
　　米国は100人で250台の機械、100人で200俵の農産物を作ることができるとする。

　　日本の人口は200人で、機械、農産物とも100人ずつで生産し、米国の人口は400人で機械、農産物とも200人ずつで生産し、消費した（自給自足）とすると、生産量・消費量は表①のとおり。

①日米の生産・消費

	生産・消費 (台・俵)	
	機械	農産物
日本	500	200
アメリカ	500	400
計	1000	600

　生産効率は、生産額量を人数で除したものとする。

　この例では、機械、農産物ともに、日本の生産効率は米国と同等以上である。表②のように日本は両方とも自分で作った方が効率的のようにみえる。

②日本・米国の生産効率

	生産効率＝生産額／人	
	機械	農産物
日本	5	2
アメリカ	2.5	2

　機械と農産物の生産効率の比を見ると、

　　日本は、機械／農産物＝5／2＝2.5
　　米国は、機械／農産物＝2.5／2＝1.25

　　日本は、農産物／機械＝2／5＝0.4
　　米国は、農産物／機械＝2／2.5＝0.8

　日本は米国に比べて機械生産に優位性を持っており、米国は日本に比べて農産物生産に優位性を持っている（比較優位）。

　日本は比較優位を持つ機械に特化し、米国は比較優位を持つ農産物に特化して生産してみる。

日本は200人で1000台の機械を作ることができる。

米国は400人で800俵の農産物を作ることができる。

③比較優位に特化したときの日米の生産

	生産・消費（台・俵）	
	機械	農産物
日本	1000	0
アメリカ	0	800
計	1000	800

　表①と③を比べると、日米の生産の計は、機械は変わらず、農産物は200俵増えている。

④貿易をした後の保有額

	生産・消費（台・俵）	
	機械	農産物
日本	500	200
アメリカ	500	600
計	1000	800

　表①と④（日本が米国から200俵の農産物を輸入し、機械を500台輸出する貿易をしたとき）を比べると、日本の保有は変わらず、米国の農産物保有が200増えている。

出所：伊藤 (2015) (p.461) から著者作成

　表③④が表①よりも増えている効果が、「比較優位にある財に特化し、他の財の生産は相手国にまかせるという形で国際分業を行い、貿易を通じて特化した財を相互に交換すれば、貿易当事国は双方とも貿易を行わなかった場合よりも利益をうることができる」という比較優位説の効果である。

　生産効率の絶対水準（上手か下手か）ではなく、生産効率の比の相対的な違い（上手でも下手でも良くて、何が得意か）が重要である。どんな人、組織にも存在価値があることを示す素敵な理論である。

（2）- 5　市場の失敗（market failure）

　市場の失敗とは、資源配分メカニズムとしての市場機構の持つ欠陥をいう。市場の欠陥をもたらす要因としては**外部性、公共財、不確実性、収穫逓増**等が

挙げられる。これらの要因は市場の成立を困難にしたり非効率的なものにしたりする[21]。

外部効果（external effect）は、ある経済主体の効用または生産技術が他の経済主体の行動により市場を通さないで直接的影響を受けるとき、これを外部効果という。影響を受ける立場から見て、有利な影響は外部経済と呼び、不利な影響は外部不経済と呼ぶ。

外部不経済（external diseconomies）の例は、産業の拡大で工業用水が欠乏して周りが困ったり、汚水や煙の垂れ流しで住民が病気になったり、自治体が税金を使って大気、河川、海などを洗浄しなければならないなどがある[22]。このような場合、市場や競争に任せるとうまくいかず、市場の失敗が起きている。有利な影響＝外部経済をもたらす公共財も、同様に、市場の失敗の原因となる。

不確実性（uncertainty）は、ある行動に対してどのような結果が生じるか、各々の確率が行動者には不明であるか、確率を付与すること自体が無意味であるような場合をいう[23]。不確実性があると、何か起こったときの損失を重視する（慎重、怖がりな）生産者は、市場が機能したときの望ましい量よりも生産を小さくするため、市場が失敗するとされる。

似た概念として**リスク**があるが、リスクは、例えば、原子力発電所の事故のように発生確率を想定でき、対応の是非を確率計算で考察できるが、不確実性は確率計算で考察できないとされる。

収穫逓増（increasing returns）は、生産を増やしていくと、コストとアウトプットの関係が比例せず、コスト増の比率以上にアウトプットが増えることをいう[24]。市場理論は、コストとアウトプットの関係が比例することを前提としているので、収穫逓増があると市場は失敗する。

例えば、収穫逓増の産業では、放置すると、電力事業のように独占企業ができることが知られている。日本では、明治時代には、市町村単位くらいの電燈会社が乱立したが、この経済原理などで独占企業に集約されていった。市場に任せると独占企業による弊害が生じるので、電力価格の変更は政府に届出を要する公共料金となっている[25]。

(2)-6 公共財（public goods）

　公共財とは、政府が提供する財であって、私的財と異なり各個人が共同消費
し、対価を支払わない人を排除できず（非排除性）、ある人の消費により他の人
の消費を減少できない（非競合性）ものをいう。国防・警察や道路・堤防、法制
度、商慣習などがその例である[26]。

（3）地域マネジメントとマクロ経済学

（3）-1 マクロ経済学

　マクロ経済学（macroeconomics）とは、国民所得や経済全体としての投資や
消費といった巨視的集計概念を用いて全体としての経済の運行法則を分析する
経済学の領域のこと。ケインズの雇用理論が発表されて以来、急速に発展した
分野である[27]。

　マクロ経済学では、経済全体の所得、需要、生産について考える。需要がな
いと生産は行われないので、経済全体の需要と生産は等しい。経済活動で生み
出された賃金、地代、配当、利子などの合計である所得は、国民の誰かに分配
されるので、経済全体の生産と所得も等しい。

　所得をY、消費（需要）をCとすると、消費は所得が増えれば増え、減れば
減ると考えられるので、C＝C（Y）（消費Cは、変数Yによって増減する）と数式
で表現できる。生産と所得は等しいので同じくYと表わすと、**図5-2**のよう
に表現できる。

　縦軸に消費と生産、横軸に所得を表わす**図5-2**では、生産と所得は等しい
ので45度線となる。消費は、所得が増えると増えるが、所得が少ないときに所
得が増えると大きく消費が増え、所得が大きいときは満ち足りていてそれほど
増えないと考えれば、**図5-2**のC（Y）のような、最初は急だがだんだん緩や
かになる曲線となる。

　ここで、消費・需要がCからC′に拡大したとすると、生産・所得が増える
ことがわかる。ケインズが発見したマクロ経済学の重要な点は、消費・需要が
不足すれば、低いレベルで生産、所得が均衡し、失業が発生すること、財政金
融政策で消費・需要を増やせば、失業を減らすことができることである[28]。

[図 5-2]　45度図を用いた所得の決定

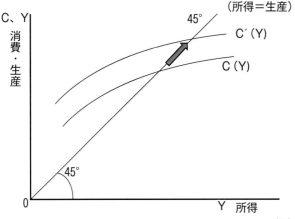

出所：伊藤（2015）（p .290)

　景気が良くなったり、財政金融政策で消費・需要を増やしたりしたときには、生産と所得が増える。所得が増えると、人々は消費を増やす。この増やした消費による需要を派生需要という。派生需要は、それを供給する人たちの所得を増やすので、さらに次の派生需要が出る。この繰り返しによって経済全体の需要・生産・所得が雪だるまを転がすように増えていく過程を乗数効果という。乗数効果によって最終的にどれくらい需要が増えるかは、数学で計算できる[29]。

　デマンドサイド経済学（demand-side economics）は、マクロ経済学の中で、有効需要不足による非自発的失業など、**需要側の制約を重視する考え方**で、完全競争が成立しない市場の失敗などに基づいて考察する考え方である。

　サプライサイド経済学（supply-side economics）は、マクロ経済学の中で、**供給側を重視する考え方**である。1970年代後半の米国で、「ケインズ的な総需要政策の定着の結果、供給側（サプライサイド）に歪みが生じたことが、当時の米国のスタグフレーション（景気停滞下での物価上昇。スタグネーション（stagnation, 停滞）とインフレーション（inflation）との合成語[30]）の原因だ」等と批判し、対応策として、税制の改善、歳出減と減税、高福祉政策の見直しなどによりインフレを抑え、勤労意欲や貯蓄の増大を図って供給側の能力を高めるべきという学説（サプライサイド経済学）を、当時の米国の著名な経済学者たちが提唱した。レーガン

大統領（1981-89年任期）の経済政策は、この考え方に立って立案、実行された[31]。

（3）- 2　雇用が保障されるか否か

　地元で人が働いて収入を得ることができるかどうかは、地域にとって重要な課題である。地元で収入が得られなければ、若者は離れ、人口は減り、限界集落を経て、地域から人がいなくなってしまう。雇用に関する経済学の理論、考察には以下のようなものがある。

（3）- 2- 1　セイ（Jean-Baptiste Say）の法則[32]

　完全雇用は自動的な調整で実現される。理由は、価格による需要供給の自動調整機能が働くからである。雇用がなくて失業が生じたら、どこまでも賃金を下げていけば雇用問題、失業問題は解決するという考え方である。

　例えば、地方の人口減少問題の課題の一つとして「働く場所がない」といった課題に対しては、「賃金を下げていけば問題は解決する」という考え方である。

　現代人にとっては、とても奇妙に感じる理論であるが、経済学のうち、ミクロ経済学＝価格理論の中心は、価格によって需要と供給が調整されて均衡するというアダム・スミスの神の手の考え方である。この基本にしたがって雇用を考え、労働の対価＝賃金という価格の上下で、労働の需要と供給が調整されると考えているのである。人手不足になれば、それが解消するまで賃金＝労働の価格が上がり、人手が余る＝失業になれば、それが解消するまで賃金＝労働の価格が下がる。そうして労働の需要と供給が調整されるので、失業は生まれない。これがセイの法則の考え方である。セイは、何も変わったことを言っておらず、価格理論を労働市場に当てはめただけであると言える。

　セイの法則では、失業が解消するまで下がった賃金水準で、人間が生活できるかどうかといったことは考えていない。現実に、1930年代までの資本主義は、このように運用されてきた。民法の原則は、契約はお互いの自由である。雇用契約についても、雇用主が不要と考えればいつでも従業員との雇用契約を解除できるなど、契約自由の原則で資本主義は運営されていた。このような資本主義の運用により、1930年代の大恐慌時に大規模な倒産・失業が起こり、各

国は経済的に苦しみ、人々は貧乏で苦しんだ。

(3)-2-2　マルサス（Thomas Robert Malthus）の人口論[33]

イギリスの経済学者。主著『人口論』(An Essay on the Principle of Population)
(1798) において、「人口の増加は幾何級数的（著者注：2倍、4倍、8倍……とネズ
ミ算式に増える）であるのに対し、食料の増加は算術級数的（著者注：努力しても毎
年少しずつしか増えない）である」ことを実証的研究から明らかにし、「**人口増加
と食料増産のスピードの不均衡**は避けられず、**放置すれば飢饉、貧困、悪徳が発
生する**」とした。そして、人口の増加を抑制するため、結婚年齢を延期すべき
と主張した。

(3)-2-3　ケインズ(John Maynard Keynes) の有効需要不足による非自発的
失業

1936年のケインズの『雇用・利子および貨幣の一般理論』[34] に始まるケイン
ズ経済学のもっとも重要な貢献は、需要減少→生産低下→所得減少という課程
を経て、元よりもはるかに低い所得、生産、需要で均衡する「**需要不足の均衡
の存在**」を明らかにしたことである。このとき、投資や政府支出を拡大させれ
ば、経済全体の生産や所得の水準は拡大し、雇用が増える[35] ことを発見し、
政策提言を行った。

非自発的失業（involuntary unemployment）は、労働者が現行の実質賃金率
に不満で起こる失業（自発的失業）ではなく、有効需要の不足ゆえに企業が雇用
しようとしないため生ずる失業をいう。ケインズはこのような失業を重視し、
その解消のための有効需要創出政策を提唱した。ケインズ的失業ともいわれる
[36]。

現在では、日米欧などの自由主義・資本主義国だけでなく、中国でも COVID
-19などによる不況への対策として財政金融政策が行われている[37] など、社会
主義国を含め、すべての国で、有効需要不足による非自発的失業への財政金融
対策が必要に応じて行われている。

景気調整のために投資や政府支出を拡大させたり絞ったりすることはマクロ
経済学の研究対象であるが、「需要不足の均衡の存在」は、市場の失敗などに

よるミクロ経済学・価格理論の研究対象である。例えば、根岸隆東京大学名誉
教授は、屈折需要曲線理論によって、労働市場がセイの法則の需要と供給の均
衡ではなく、ケインズが指摘する需要不足の均衡になること、その処方箋を説
明している[38]。

[推薦図書18]

　　伊藤元重（2015）『入門経済学』日本評論社

　　　　　※経済学の教科書として、同書は、数学を使わずに経済学の本質をわかりや
　　　　　　すく解説しており、公務員試験などの試験対策の定番にもなっている。

　　スティグリッツ（2012）『入門経済学 第4版』東洋経済新報社

　　　　　※現在、世界でもっともポピュラーな経済学の教科書の一つである。

　　根岸隆（2001）『経済学史入門』放送大学教育振興会

コラム12

屈折需要曲線理論による非自発的失業の説明

　ミクロ経済学・価格理論の屈折需要曲線理論で、労働市場で市場の失敗が
起こり、非自発的失業が起こること、および、その対処法を説明することが
できる。少し専門的になるが、屈折需要曲線理論の思考法を見てみよう。

　労働者が雇用される確率（k）を考える。完全競争が成立する場合、図5-
3の（a）図のように、賃金を高く設定すれば雇用される確率は小さく、賃金
を低く設定すれば雇用される確率は高くなる。太い矢印のように、賃金をど
こまでも下げていけば、どこかで国内の労働者が100%雇用されるという考え
方がセイの法則である。

　図5-3（b）図が示す屈折需要曲線理論では、雇用確率が100%よりも小さ
いk*%以下のとき（失業があるとき）に賃金はw*で一定であると考える。な
ぜなら、企業は労働者に同一賃金を払うし、w*よりも高い賃金を望む労働者
は雇用されないからである。

　企業は、A点・雇用確率k*%よりも雇用確率を増やそうとすると、払え
る賃金は急に下がる。なぜならば、A点まではマクロ経済全体で見た需要が
あって、企業活動で収益が上がり賃金を適度に支払えるが、A点を右に超え
ようとするとマクロ経済全体で需要不足、すなわち、生産過剰、雇用過剰と
なり、企業は雇用を増やそうとすると、労働者一人当たりの賃金が非常に安

[図5-3] 賃金と雇用確率

(a) 完全競争が成立する場合（セイの法則）

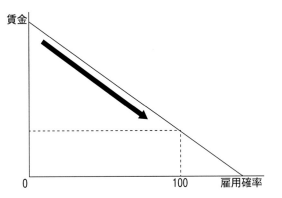

(b) 市場の失敗の場合（屈折需要曲線理論）

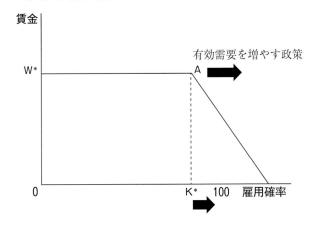

出所：根岸 (1980)

くないと雇用を増やせないからである。

　労働者の立場で考えると、Ａ点までは賃金w*で雇用されたい。それ以上の雇用を望むと、全労働者の賃金が、Ａ点から右下に向かって急に下がってしまうので、働く甲斐がなくなり、生活が貧しくなる。よって、賃金がw*よりも下がることに全労働者が反対する。そうすると、賃金はw*より下がらず、雇用確率はk*％より上がらない。100％からk*％を差し引いた人たちは働きたいけれども失業することになる。すなわち、マクロ経済全体で見た需要が、完全雇用を満たすには不足していて、非自発的失業が起こっている

ことを（b）図は説明している。

　マクロ経済学のデマンドサイド経済学では、政府が税金を安くしたり、公共事業などの歳出を増やしたりする国内の有効需要を増やす政策で、（b）図のА点を右の方向に動かすことができ、雇用確率k＊％を増加させることができる（太い矢印）と考える。

　なお、（b）図の需要曲線は（a）図のそれのように連続的ではなく、А点で折れ曲がって（屈折して）、不連続である。このような折れ曲がった需要曲線を**屈折需要曲線**と言い、屈折需要曲線を使って経済現象を説明する理論を屈折需要曲線理論と言う。折れ曲がる原因は、折れ曲がる左側と右側で、例えば上述の例ではマクロ経済全体で見た需要＝有効需要が足りているか、不足するかというように、**需要に関する状況が不連続に変化している**からである。

［注］

13）根岸（1980）（pp.9-11）
14）根岸（1980）（pp.10）
15）有斐閣 経済辞典 第5版
16）根岸（1981）（p.2）
17）有斐閣 経済辞典 第5版
18）有斐閣 経済辞典 第5版
19）有斐閣 経済辞典 第5版
20）伊藤（2015）（pp.460-465）
21）有斐閣 経済辞典 第5版
22）有斐閣 経済辞典 第5版
23）有斐閣 経済辞典 第5版
24）有斐閣 経済辞典 第5版か
25）消 費 者 庁 https://www.caa.go.jp/policies/policy/consumer_research/price_measures/utility_bills/about_001/（2020/05/18取得）
26）有斐閣 経済辞典 第5版
27）有斐閣 経済辞典 第5版
28）伊藤（2015）（pp.285-291）
29）伊藤（2015）（pp.279-284）
30）有斐閣 経済辞典 第5版
31）有斐閣 経済辞典 第5版
32）根岸（1981）（p.95）
33）ブリタニカ国際大百科事典 小項目事典
　　https://kotobank.jp/word/%E3%83%9E%E3%83%AB%E3%82%B5%E3%82%B9-137583
　　（2018/11/25取得）
34）Keynes（1936）

35）伊藤（2015）（pp.289-294)

36）有斐閣 経済辞典 第 5 版

37）週刊東洋経済策 https://toyokeizai.net/articles/-/364287　（2020/08/30取得）

38）根岸（1980）（pp.90-94)

第3節 地域マネジメントと経済学・経営学

（1）需要と供給に関する考察と経済学と経営学[39]

　経済学の基本は、需要と供給に関する考察であるが、需要と供給のそれぞれに着目する諸理論が存在する。

　経済学のうち、古典的なミクロ経済学・価格理論、セイの法則などは、需要側の制約を考慮せず、完全競争の下で需要と供給が均衡するという考え方である。マクロ経済学の中でも、サプライサイド経済学、デマンドサイド経済学は、需要と供給に関する視座が異なる。

　経営学は、基本的に、消費者の需要に対して、企業がどのような戦略を採るかを考えるためのものであり、**需要側の制約を重視する考え方である**と言えるが、管理会計（会計的な数字をもとに経営する）は、コスト計算、コスト構造を工場や経理部門の数値などから分析し、リアルタイムの企業経営、現場改善に活かしていく理論や手法であり、供給側を重視する考え方であると言える。

（2）完全競争理論と経済学・経営学

　経済学の**完全競争理論**は、企業は価格を受け入れるしかなく、商品の質は同質で差別化はできないなどの状態を仮定しているので、**経営学や経営戦略は不要となってしまう。**

　この論点に対して、経営学者である楠木教授は、もし経済学のいうような完全競争になれば、企業の儲け、すなわち余剰利潤はゼロになります。このように考えると、一見お隣同士に見える経済学と経営学が、基本的なものの考え方において、実は正反対を向いているということがわかります[40]と述べている。

[表5-4] 需要と供給に関する考察と経済学と経営学の関係

	供給側を重視する考え方	需要側の制約を考慮しない考え方	需要側の制約を重視する考え方
マクロ経済学	サプライサイド経済学	サプライサイド経済学	デマンドサイド経済学
ミクロ経済学・価格理論	サプライサイド経済学を説明するミクロ経済学・価格理論	古典的なミクロ経済学・価格理論、セイの法則、完全競争理論など	情報の非対称性や外部性による市場の失敗、屈折需要曲線理論、セカンドベスト理論など。
経営学	管理会計	－	経営学の理論のほとんど

　しかし、正確に言えば、「もし経済学のいうような完全競争になれば、企業の儲け、すなわち余剰利潤はゼロになります。」はそのとおりだが、後半は誤解である。古典的なミクロ経済学・価格理論、完全競争理論、セイの法則、サプライサイド経済学は、経営学と相容れない考え方（需要側の制約を考慮しない考え方）をしているが、デマンドサイド経済学、屈折需要曲線理論などのミクロ経済学・価格理論と経営学は、需要側の制約を考慮するという同じ考え方に立脚している（表5-4参照）と言える。

　なお、経済学のうち、需要側の制約を考慮しない考え方についても、経済学の方法論である「人間の能力では処理しきれないほど広範で複雑な経済現象を、構成要素に分解したり、重要なことに焦点を当てて他は固定して考えたりして、経済現象の大まかな姿がどうなっているか推測し、実証しようという思考法」に拠っているもので、「需要が重要ではない」と価値判断しているわけではないと考えられる。

　経営学者である入山 章栄早稲田大学教授は、完全競争の諸仮定をみて、皆さんはこんな産業は現実にはありえないと思われるだろうが、ありえないほど極端だから論理のベンチマーク（比較のために用いる指標）となりうるのである。**ポーターの競争戦略論は、経済学の完全競争から出発**している。ポーターの差別化戦略は、自社を完全競争の状態から遠ざけて、独占に近づける戦略にほかならない[41]と指摘している。

　なお、完全競争の諸仮定とは、以下のとおりである。

1. 市場に無数の小さな企業がいて、どの企業も市場価格に影響を与えられない。
2. 新規参入、撤退のコストがゼロ。
3. どの企業の製品、サービスも同一。
4. ある企業の経営資源が他の企業に異動するコストがゼロ。
5. ある企業の製品、サービスの完全情報を顧客、同業他社が持っている。

　完全競争の結果、需要と供給が一致すると均衡（需要と供給が釣り合って価格が落ち着く状態）に達するが、どの企業の製品、サービスも同一と仮定しているので、均衡に達した世界では、技術開発も経営革新も行われず、たんたんと同じ製品、サービスだけが同じオペレーションで提供され続けていき、**永遠に何の変化も起こらない。経済活動としては死んだ世界、虚無の世界**と言える。著者が大学で所属した根岸　隆ゼミでは、根岸先生の巧みな誘導で、完全競争の諸仮定が意味すること、完全競争の状態、均衡に達した状態の虚無的な世界観を体感することができた。入山教授が指摘するように、完全競争理論は、**ありえないほど極端だから論理のベンチマーク**（比較のために用いる指標）**となりうる**と考えるべきであろう。

（3）国の産業政策、地方の産業振興策と経済学・経営学

　経済学では、国の産業政策や地方の産業振興策は有効なのかが問われてきた。

　古典的なミクロ経済学・価格理論は、見えざる手やセイの法則のように、人間が何もしない方が、完全競争により理想的な需要と供給の均衡に到達して、社会全体の効用が最大化するという考え方、レッセフェール（laissez-faire, 自由放任主義）の考え方に立脚している。そうであれば、**人が考えて行う国の産業政策や地方の産業振興策は余計なこととなる。**

　1980年代、世界で産業政策が脚光を浴びた。経済学では、市場の失敗を補正する政策の一つとして産業政策が議論されてきた。情報の非対称性や外部性から、民間だけでは対処できない**市場の失敗**が生じ、**産業政策に代表されるよう**

な政府介入を行うことが正当化されうる。ゲーム理論を用いた寡占市場におけ
る理論研究が国内外で活発に行われ、産業政策の議論がブームとなった。しか
し、1990年代以降、**欧米各国は市場機能を重視し**、民間主体による競争が社会
厚生を増大させるという古典的な考え方に変わり、**規制緩和や民営化を後押し**
た。その頃の産業政策に関する実証研究からも、過去の産業政策の有効性が鮮
明には表れなかった[42]という。

　日本経済は大きくて複雑なので、国の産業政策が有効だったかを実証的に検
証することは難しかったかもしれない。もう少し小さな対象、例えば、海士町
の産業振興策の有効性はどうであろうか。海士町の産業振興策の成果は、雇用
増、移住者増など目に見えてわかりやすいが、それでも人口の自然減が大きい
ために総人口は減っている。国内の地方での事業としては傑出していると考え
られる CAS 冷凍事業に対しても、投資額の大きさなどを批判する声が、地元
内外にあることも事実である。

　国の産業政策は国を範囲とする地域マネジメントであり、地方の産業振興策
は県や市町村を範囲とする地域マネジメントであると考えれば、国の産業政策
や地方の産業振興策は有効かという問いについて、経済学と経営学・マネジメ
ントの関係に関する考え方が参考になる。

　楠木教授、入山教授が指摘するように、完全競争が成立する世界では、経
営学・マネジメントは不要となる。しかし、**経済学**の中にも、表5-5のよう
に、「レッセフェール（自由放任主義）」と「政策の必要性の正当化」の両方の
考え方を支持する理論があり、実証研究で有効性が鮮明でなかったことなどを
理由に「人が考えて行う国の産業政策や地方の産業振興策は余計なこと」とま
で、経済学で断じる議論にはなっていないと考える。

　国の産業政策や地方の産業振興策をマネジメントの一種と考えれば、マネジ
メントの巧い・下手はある。企業は下手なマネジメントをすれば倒産して淘汰
されるが、国や地方は下手でも淘汰されないことが問題だ、だから下手なマネ
ジメントで税金を浪費することはやめてくれという指摘はありうる。一方で、
絶えず襲いかかる経済社会の変化の中で、**不作為、何もしないことのリスク**
も、また大きいことに留意する必要がある。

［表5-5］国の産業政策、地方の産業振興策に関する考察と経済学と経営学の関係

	自由放任主義、政策介入の否定	政策の必要性の正当化
マクロ経済学	見えざる手、サプライサイド経済学など	デマンドサイド経済学など
ミクロ経済学・価格理論	完全競争理論に代表される古典的なミクロ経済学・価格理論、セイの法則など	情報の非対称性や外部性による市場の失敗、屈折需要曲線理論、セカンドベスト理論など。市場の失敗が生じたとき、国の産業政策、地方の産業振興策が正当化されうる。
経営学	－	自社を経済学の完全競争の状態から遠ざけることが経営学・マネジメントの本質。地域マネジメントとしての国の産業政策、地方の産業振興策。

　本書のテーマである地域マネジメントについて、内閣官房（2014）は、このままいけば近い将来、地方はその多くが消滅しかねず、人口減少に対する取組みは、一刻の猶予も許されないという認識は、国民各層に急速に高まっている。日本全体についても、地方消滅の流れは確実に地方から都市部へと波及し、やがて国全体の活力を著しく低下させてしまうこととなりかねない。と指摘している[43]。

　現状、多くの自治体で、不作為（何もしないこと）は、人口減、地方消滅を何もせずに受け入れることを意味している。地元を何とかしたいと考え、行動しよう。そのときに、地域マネジメントの考え方は、行動の基軸となるはずだ。

コラム13

なぜ大学に行くのか、学問を学ぶのか ── 特に文系学部で ──

　日本の大学のキャリア教育の分析[44]によると、欧州には職業訓練をする専門大学と研究・学問をする総合大学が併存する形であるが、日本には総合大学しかないため、大学で学修する専門性が職業と直結しない。特に、経営、経済、法律など文系学部を専攻した卒業生に、その傾向が著しいことがデータに基づいて指摘されている。

　2019年の高校卒業者105.6万人の進路選択を見ると、表5-6のように、60.0%は職業選択に関係のある進路選択をしているが、23.1%が大学の人文社

[表5-6] 2019年の高校卒業者105.6万人の進路選択とその人数割合

進　　　路	比　率	
就　職　者	17.6	職業選択を完了
専　門　学　校	16.3	専門学校：職業と直結
短　　　大	4.8	職業と深い関係
大　　　学	50.0	
そ　の　他	11.3	
計	100.0	
大学の内訳	6.5	学部と職業が直結： 医・歯学、薬学、教育学科
	13.1	学部と職業が深い関係： 理学、工学、農学、家政、芸術学科
	23.1	学部と職業が結びつきにくい： 人文科学、社会科学学科
	7.6	その他学部

職業選択に 関係のある 進路を選択	17.6	職業選択を完了
	22.8	職業に直結する高等教育機関を選択
	17.9	職業に関係が深い高等教育機関を選択
	58.3	小計
職業選択に 結びつきに くい進路を 選択	23.1	職業選択に結びつきにくい高等教育機関を選択
	7.6	大学のその他学部
	11.3	その他
計	100.0	

出所：文部科学省（2019）から著者作成

注：四捨五入のため小計があわない場合がある。

会系に進学しており、これらの学生は、職業選択に結びつきにくい進路選択を、高校卒業時にしていると言える。

　文系とは、人文科学・社会科学の意味で[45]、多くの高校では、高校１年生のときに文系・理系を選択する。選択の際には、将来の職業を考えて選択する生徒もいるが、**英語が苦手だから理系、数学が苦手だから文系という選択も多い**。高校で文系を選択し、大学の文系学部に進学すると、専門が職業に結びつかないので、キャリアデザインをしないままに就職活動の時期を迎えたり、キャリアデザインをして志望を定めたとしても、その目的に対して大学の学びは直接には関係しないといった問題が指摘されている。文系学部を

卒業して社会人になった人は、理系に比べて満足度が低いというデータ[46) も
ある。

　文系学部の学生の就職先は、多くは企業、一部は行政、団体である。その
中で、トップ、役員、部門長や、それぞれの立場で重要な仕事をしている人
は多い。大企業の役員を見ると、製造業では、工学部、工学大学院卒業者が
多いが、文系学部出身の役員も多い。これらの人は大学での学びの何が役立
ったのだろうか。いくつか考え方がある。

　第一に、部活動など学生生活の学問以外の経験や友人関係などが役立つの
であり、学んだ学問は関係ないという考え方がある。第二に、学んだ学問が
何であれ、思考すること、思考法が身につくという考え方がある。第三に、
企業や行政をマネジメントする思考法を、経営学だけでなく、経営学に引用
されている経済学、心理学、社会学から学んだという考え方がある。第四に、
税理士、会計士、弁護士など、学びが職業に直結するケースがある。

　この第5章では、3番目の考え方に拠るときに、経営学、経済学、心理学、
社会学をどのように学ぶとマネジメントの理解に役立つかを解説したとも言
える。読者が学修している科目も、このような概観の中に位置づけてみれば、
社会に出てから必要とされるマネジメント・スキルの中での意味づけを考え
ることができるであろう。

　すべての企業、行政などの組織で、"マネジメント"は必要で、日々行われ
ている。文系学部の卒業生はマネジメントの重要な担い手になっている。理
系学部の卒業生も、中堅以上になれば専門性だけではなく、マネジメント力
も大いに必要となる。企業、行政、団体に就職すれば、オンザジョブトレー
ニングでマネジメントを学ぶことになる。そして、心ある社会人は、本、セ
ミナー、YouTubeなどで経営学を学んだり、学び直して仕事に活かしてい
る。「大学でもっと勉強しておけばよかった」と言いながら、余暇の時間に勉
強している社会人は多い。本書が、地元で奮闘する人たちや、地元貢献を志
す学生のお役に立つことを願っている。

［注］
39)　この節の視座は、宮本光晴専修大学名誉教授に、ご示唆をいただいた。ただし、考証の
　　　瑕疵を含め、全ての文責は著者にある。
40)　楠木（2012）（p.110)
41)　入山（2019）（pp.34-49)
42)　大橋（2010）（p.1)
43)　内閣官房（2014）（p.7)

44）　花田ほか（2011）、日本労働研究機構（2001）
45）　広辞苑 第七版
46）　日本労働研究機構（2001）（p.46）

参考文献

Frédéric Bastiat, (1850) *Harmonies Économiques*（フレデリック・バスチアー（著），土子金四郎（訳）(1888)『経済調和論 巻1-2』哲学書院）

Henry William Chesbrough, Wim Vanhaverbeke, Joel West (2008), *Open Innovation: Researching a New Paradigm*, Oxford Univ Pr（ヘンリー チェスブロウ（編）［長尾高弘(訳)］[2008]『オープンイノベーション 組織を越えたネットワークが成長を加速する』英治出版㈱）

Peter Ferdinand Drucker (1973), *Management: Tasks, Responsibilities, Practices*, New York: Harper & Row（上田(訳)(2008)『マネジメント』上中下　ダイヤモンド社）

Peter Ferdinand Drucker (1990), *Managing the Nonprofit Organization: Practices and Principles*, New York: Harper Collins（ピーター・F. ドラッカー（著）上田 惇生（訳）(2007)『非営利組織の経営（ドラッカー名著集〈4〉』ダイヤモンド社）

Philips F.Y. (2009), *Toward a Sustainable Technopolis*, Report 2009 UNESCO-WTA International Training Workshop, pp.9-25

David V. Gibson, Rogers, M. Everett (1994), *R & D Collaboration on Trial: The Microelectronics and Computer Technology Corporation*, Harvard Business School Press.

Chalmers Johnson (1982), *MITI and the Japanese Miracle: The Growth of Industrial Policy*, Stanford University Press（佐々田博教（訳）(2018)『通産省と日本の奇跡：産業政策の発展1925-1975』勁草書房）

Philip Kotler (2003), *Marketing Insights from A to Z: 80 Concepts Every Manager Needs to Know*,（フィリップ・コトラー（著）、恩藏直人,大川修二（訳）(2003)）『コトラーのマーケティング・コンセプト』丸井工文社）

John Maynard Keynes (1936), *The General Theory of Employment, Interest and Money*（ジョン・メイナード・ケインズ『雇用・利子および貨幣の一般理論』間宮陽介（翻訳）岩波書店 (2008)）

Thomas Robert Malthus, (1798) *An Essay on the Principle of Population*（マルサス（著），永井 義雄（訳）(2019)『人口論』中公文庫）

Alfred Marshall (1890) *Principles of Economics*（アルフレッド・マーシャル（著），馬場啓之助（訳）(1965, 1966, 1966, 1984)『経済学原理 1-4』東洋経済新報社）

Henry Mintzberg (2005), *Managers Not MBAs: A Hard Look at the Soft Practice of Managing and Management Development*, Berrett-Koehler Publishers

Michael Porter (1980), *Competitive strategy: techniques for analyzing industries and competitors*, Free Press（M.E. ポーター（著）土岐坤, 服部照夫, 中辻万治（訳）

(1995)『競争の戦略』ダイヤモンド社)

Michael Porter（2003）*Competitive Strategy*, Free Press（M. ポーター（著），竹内弘高（訳）（2018）『【新版】競争戦略論（Ⅰ・Ⅱ）』ダイヤモンド社)

François Quesnay, (1758) *Tableau économique*（ケネー（著），平田清明，井上泰夫（訳）（2013）『経済表』岩波書店)

David Ricardo（1817）*The Principles of Political Economy and Taxation*（D. リカードウ（著），羽鳥卓也，吉沢芳樹（訳）（1987）『経済学および課税の原理〈上巻・下巻〉岩波文庫)

Jean-Baptiste Say, (1803) *Traité D'économie Politique*（ジャン＝バティスト・セイ（著），増井幸雄（訳）（1926）『経済学 - 上下 - 経済学古典叢書』岩波書店)

Adam Smith（1776），*An Inquiry into the Nature and Causes of the Wealth of Nations.*（アダム・スミス（著），大河内一男（訳）（1978）『国富論』中央公論新社)

Joseph E. Stiglitz, Carl E. Walsh（2006），*Economics*, W W Norton & Co Inc（Np），（スティグリッツ（著），藪下史郎（訳）（2012）『入門経済学（第 4 版）』東洋経済新報社)

UNWTO（2018）*Overtourism'?* "*overtourism'can be defined as "the impact of tourism on a destination, or parts thereof, that excessively influences perceived quality of life of citizens and/or quality of visitors experiences in a negative way*, UNWTO

Leon Walras（1877），*Éléments d'Économie Politique Pure; Ou, Théorie de la Richesse Sociale*（ワルラス（著），久武雅夫（訳）（1983）『純粋経済学要論—社会的富の理論』岩波書店)

秋元雄史（2018）『直島誕生——過疎化する島で目撃した「現代アートの挑戦」全記録—』ディスカヴァー・トゥエンティワン

安宅和人（2010）『イシューからはじめよ——知的生産の「シンプルな本質」——』英治出版

安宅和人（2020）『シン・ニホン——AI ×データ時代における日本の再生と人材育成——』NewsPicks パブリッシング

デービッド・アトキンソン（2015）『新・観光立国論』東洋経済新報社

デービッド・アトキンソン（2017）『世界一訪れたい日本のつくりかた』東洋経済新報社

海士町（2015）『創生総合戦略人口ビジョン《海士チャレンジプラン》』海士町

伊藤元重（2015）『入門経済学』日本評論社

入山章栄（2019）『世界標準の経営理論』ダイヤモンド社

岩切章太郎（2004）『心配するな　工夫せよ』鉱脈社

岩切章太郎（2013）『大地に絵をかく』鉱脈社

大蔵昌彦（1998）『ごっくん馬路村の村おこし』日本経済新聞社

大澤健，米田誠司（2019）『由布院モデル——地域特性を活かしたイノベーションによる観光戦略』学芸出版社

大橋弘（2010）「転機を迎えた「産業政策」のあり方」『独立行政法人経済産業研究所コラム』

科学技術・学術審議会（2013）『東日本大震災を踏まえた今後の科学技術・学術政策の在り方について（建議）』科学技術・学術審議会

加護野忠男，吉村典久（2012）『１からの経営学 第２版』碩学舎

加登豊（2018）「"MBAは役立たず" というウソが出回る理由」『PRESIDENT Online』

観光庁（2011）『地域いきいき観光まちづくり2011』観光庁

観光庁（2020）『観光白書』日経印刷

楠木建（2010）『ストーリーとしての競争戦略 ── 優れた戦略の条件』東洋経済新報社

久保孝雄（2006）『知事と補佐官 ── 長洲神奈川県政の20年』敬文堂

黒井克行（2019）『ふるさと創生 ── 北海道上士幌町のキセキ』木楽舎

塩野七生（1997）『ローマ人の物語（6）パクス・ロマーナ』新潮社

塩野七生（2001）『ローマ人の物語（10）すべての道はローマに通ず』新潮社

市町村産業振興研究会（2003）『市町村のための産業振興のポイント』ぎょうせい

衆議院（2007）『第166回国会　経済産業委員会（平成19年4月10日）議事録』衆議院

鈴木文彦（2018）「地域商社やアンテナショップに求められる＋αの育成機能」『市町村への地方債情報』vol.56, pp.67-70

炭谷晃男（2015）「「地域おこし」、「地方創生」の歴史と課題」『自治調査会 ニュース・レター』vol. 008

総務省（2018）『平成30年版地方財政白書』日経印刷

中小企業庁（2003）『消費者にとって魅力あるまちづくり実践行動マニュアル』中小企業庁

内閣官房（2014）『まち・ひと・しごと創生長期ビジョン ── 国民の「認識の共有」と「未来への選択」を目指して ──』内閣官房

内閣府（2019）『令和元年度　年次経済財政報告』内閣府

中山清孝，秋岡俊彦（1997）「トヨタ生産方式の基本的な考え方」『オペレーションズ・リサーチ：経営の科学』42（2），pp.61-65

長坂泰之（2011）『中心市街地活性化のツボ ── 今、私たちができること』学芸出版社

日本政策投資銀行（2017）『域内商社機能強化による産業活性化調査』日本政策投資銀行

日本労働研究機構（2001）『日欧の大学と職業 ── 高等教育と職業に関する12ヵ国比較調査結果 ──』日本労働研究機構

根岸隆（1980）『ケインズ経済学のミクロ理論』日本経済新聞社

根岸隆（1981）『古典派経済学と近代経済学』岩波書店

根岸隆（2001）『経済学史入門』放送大学教育振興会

花田光世，宮地夕紀子，森谷一経，小山健太（2011）「高等教育機関におけるキャリア教育の諸問題」『KEIO SFC JOURNAL』11（2），pp.73-85

深澤晶久（2014）『仕事に大切な7つの基礎力』かんき出版

深澤映司（2005）「第三セクターの経営悪化要因と地域経済」『レファレンス 2005. 7』
　　国立国会図書館調査及び立法考査局

三谷宏治（2019）『新しい経営学』ディスカヴァー・トゥエンティワン

三橋勇（2002）「宮城県の第三セクター方式による観光・リゾート事業への一考察──
　　鬼首スキー場を事例として──」宮城大学事業構想学部紀要5

宮崎県（2016）『宮崎県商工建設常任委員会会議録（平成28年4月26日）』宮崎県

宮崎交通社史編纂委員会（1997）『宮崎交通70年史』宮崎交通㈱

宮崎大学（2015）『地域資源創成学部の設置の趣旨等を記載した書類』宮崎大学

村岡浩司（2018）『九州バカ──世界とつながる地元創生起業論』文屋

藻谷浩介，NHK広島取材班（2013）『里山資本主義──日本経済は「安心の原理」で動く』
　　KADOKAWA/ 角川書店

藻谷浩介，山田桂一郎（2016）『観光立国の正体』新潮新書

文部科学省（2019）『学校基本調査──令和元年度』

山内道雄（2007）『離島発 生き残るための10の戦略』NHK出版

山田拓（2018）『外国人が熱狂するクールな田舎の作り方』新潮新書

吉田雅彦（2019a）『日本における中堅・中小企業のオープンイノベーションとその支
　　援組織の考察』専修大学出版局

吉田雅彦（2019b）「日本におけるリゾートホテル経営の課題と対策に関する考察──青
　　島リゾート㈱（ANAホリデイ・イン リゾート宮崎）の事例から──」『日本国際観光学会
　　論文集』第26号，pp.79-88

索　引

謝　辞

　宮崎大学では、地域資源創成学部で本書の元になる二つの授業を担当させていただき、丹生晃隆先生、土屋有先生に、地域をテーマとする学部で、学生にどのように経営学を教えるかについて多くのご示唆をいただいたことをはじめ、同僚の先生方、アシスタントをしていただいた伊東ユカリさんや、同学部で学んだOB・OG、学生の皆さんに、地域について一緒に熱心に考えていただいた。特に、海士町と上士幌町の共通点については、3期生の諸氏に多くの示唆をいただいた。また、行政官から転職した私を温かく迎えていただいた役員、教員、事務の皆さまに貴重なご指導をいただいた。

　宮崎県庁主催の観光みやざき創生塾では、塾を開いていただいた河野俊嗣知事、運営をしていただいた県の観光関係部署の皆さまや、土屋有先生、西村幸夫先生、米田誠司先生、山田桂一郎先生、山田拓先生はじめ講師の諸先生、1期生の藤木浩美さん、日高伸二郎さんはじめ塾生の皆さんから、広い視野、知見と地元への熱い思いをいただいた。

　宮崎市、延岡市、日向市、日南市などの市役所、商工会議所、企業の皆さまには、授業の特別講師や実習の受け入れなど、ご多忙な中、親しくご指導をいただいた。特に、ミツイシ株式会社黒木宏二代表取締役には、2018-19年、企業経営についてご講義をいただき、2020年6月には、COVID-19の影響と企業経営について情報提供をいただいた。

　経済産業省の先輩、同僚、後輩や、仕事で関わった企業、団体の皆さまからの教えと人脈がなければ、本書の問題意識も知識も得ることはできなかった。

　日立建機株式会社では、出向時に隣の席であった現社長の平野耕太郎さんをはじめ、社員の皆さんに温かく迎えられ、貴重な民間企業での経験をさせてい

ただいた。上場子会社であった日立建機での経験がなければ、本書の発想である「多段階のマネジメントとして地域マネジメントを理解する」は生まれなかった。

関満博先生、大西隆先生がご指導された地域産業おこしに燃える人の会、そのOB・OGで作った特認NPO地域産業おこしの会や、30代から関わった岩手ネットワークシステム、TAMA協会、関西ネットワークシステムなどの産学官民連携の関係で関わった地元愛の強い皆さんからは、本書を著す動機と発想の多くをいただいた。

専修大学大学院経済学研究科博士後期課程の宮本光晴先生、同前期課程の遠山浩先生には、研究の初歩からていねいにご指導いただき、時には親しく懇親しながら議論を重ねさせていただいた。

実践女子大学には、家庭の事情で東京に身を置かなければならなくなったときに職をいただき、人間社会学部で経済学と経営学の講義を担当させていただいた。宮崎大学の非常勤講師としての講義とあわせて学生と対話する中で、本書に係る考察が整理整頓されたことが多かった。もし、本書が、初心の方にも読みやすいものになっているとしたら、宮崎大学と実践女子大学の学生諸氏のおかげである。また、本書は、実践女子学園 学術・教育研究図書出版助成、それに伴う査読・手厚い助言を受けて出版しており、「実践女子学園学術・教育研究叢書29」である。

妻、子どもたちは、それぞれに多忙な中、行政官から大学教員への転職や、不在がちな生活を受容し、何げない団らんで一緒にくつろぐなど、引き続き支えとなってくれている。

ここに記して心から感謝申し上げる。

2021年6月

謝　辞（改訂版）

　地域マネジメント── 地方創生の理論と実際 ──（初版）を出版した後、執筆に
ご協力いただいた方々をはじめ、多くの友人や専門家から、様々なコメントを
頂戴した。また、出会ったときに、その人その人の感想を聴かせていただき、
お話しすることができた。そのことによって、私自身も、地域の現場の実務と
経営学を連結させようという「地域マネジメント」について、いっそう考えを
深めることができている。

　特に、関満博一橋大学名誉教授のご推薦で参加した公益財団法人日本都市セ
ンターの「地域産業の展開に向けた都市自治体の施策に関する研究会（2021年
度）」では、座長の関先生、委員の河藤佳彦専修大学経済学部教授をはじめ、
事務局を務めていただいた石川義憲理事・研究室長、加藤祐介主任研究員、釼
持麻衣研究員、黒石啓太研究員、田中洸次研究員、森愛美子研究員との討議の
中で、基礎自治体の視座からの理解を深めることができた。その成果として、
「第2章第5節　地方行政組織の役割と課題」は、全面的に書き換えることとと
なった。

　感染が落ち着いた間に、何回か宮崎を訪れることもできた。仲間と一緒に、
地域に関して新しい本を書こうという相談もすることができた。

　両親も健在で、夫婦とも健康で、子供たちも新しいことに挑戦している。先
週、COVID-19流行後、初めて盛岡に行き、墓参と氏神参りをすることができ
た。このようなことが、私の大きな支えとなっている。

　ここに記して心から感謝申し上げる。

2021年12月　実践女子大学の研究室にて

著者紹介

吉田雅彦（よしだ　まさひこ）

　　実践女子大学人間社会学部現代社会学科教授　博士（経済学）

　1984年、通商産業省・経済産業省に入省し、2015年に退職するまでの間、経済産業本省地域産業、製造業担当部署、中小企業庁、岩手県庁、関東経済産業局、中小機構理事、2012-15年に観光庁観光地域振興部長を務めるなど、地域振興、観光に関わる。
　2016年から宮崎大学地域資源創成学部で地域振興、観光に係る科目を担当しているほか、同年から「観光みやざき創生塾」の塾長を務めている。

1961年　長崎県佐世保市生まれ。本籍岩手県
1980年　広島学院高等学校卒業
1984年　東京大学経済学部（根岸隆ゼミ）卒業
1984年　通商産業省入省（～2015年）
2015年　宮崎大学地域資源創成センター長・教授
2016年　宮崎大学地域資源創成学部長（初代、～2018年）・教授
2018年　専修大学経済学研究科博士課程修了・博士号（経済学）取得
2020年　宮崎大学地域資源創成学部非常勤講師
2020年　実践女子大学人間社会学部教授

地域マネジメント
── 地方創生の理論と実際 ── ［改訂版］

2021年6月28日 初版発行
2022年1月8日 改訂版発行

著　　者	吉田雅彦 ©	
発 行 者	川口敦己	
発 行 所	鉱 脈 社	
	〒880-8551　宮崎市田代町263番地　電話0985-25-1758	
	郵便振替 02070-7-2367	
印刷·製本	有限会社 鉱 脈 社	

岩切章太郎著および関連書籍

心配するな 工夫せよ <small>岩切章太郎翁半生を語る</small>

宮崎にありつづけて日本の観光の哲学を築いた岩切翁が、生前に自らの半生を語った唯一の自叙伝。知られざるエピソードを交えながら、自分の経営哲学、観光の心を語る。20世紀の貴重な証言。 岩切章太郎 著 定価2200円

大地に絵をかく

日経新聞連載の自伝「私の履歴書」を再編集した「大地に絵をかく」と、講演「自然の美 人工の美 人情の美」の二本を収録。地域に生きる志、観光の意義と極意を明らかにする。 岩切章太郎 著 定価660円

紫陽花いろの空の下で

岩切章太郎宮崎交通社長のもと、抜群のアイデアと行動力で《観光宮崎》の黄金期（昭和30年代～40年代）を演出した著者の魅力がはじけるエッセイ集。宮崎再生に示唆を与える1冊。 渡辺綱纜 著 定価1980円

「みやざき」は可能性に満ちている
<small>「外貨を稼ぎ循環をおこす」［改訂増補版］</small>

宮崎県の「県民経済の相互連関図」をもとに宮崎県の経済を構造として把握し、方策を提示する。大好評の初版を大幅に改訂増補した決定版！ 緒方 哲 著 定価1980円

中小企業と地域づくり <small>社会経済構造転換のなかで</small>

宮崎の中小企業の50年間のイノベーションの歴史を踏まえて、地域再生を担う《真の中小企業の時代》への提言。 根岸裕孝 著 定価1760円